総合判例研究叢書

労働法 (11)

職業安定法上の諸問題…………石崎政一郎

駐留軍労務者の雇用関係………西川美数

労働仮処分…………………………岸　星一

有斐閣

序

フランスにおいて、自由法学の名とともに判例の研究が異常な発達を遂げているのは、その民法典が百五十余年の齢を重ねたからだといわれている。それに比較すると、わが国の諸法典は、まだ若い。最も古いものでも、六、七十年の年月を経たに過ぎない。しかし、わが国の諸法典は、いずれも、近代的法制を全く知らなかつたところに輸入されたものである。そのことを思えば、この六十年の間に極めて重要な判例の変遷があつたであろうことは、容易に想像がつく。事実、わが国の諸法典は、それに関連する判例の研究でこれを補充しなければ、その正確な意味を理解し得ないようになつている。

判例が法源であるかどうかの理論については、今日なお議論の余地があろう。しかし、実際問題として、多くの条項が判例によつてその具体的な意義を明かにされているばかりでなく、判例によつて特殊の制度が創造されている例も、決して少なくはない。判例研究の重要なことについては、何人も異議のないことであろう。

判例の創造した特殊の制度の内容を明かにするためにはもちろんのこと、判例によつて明かにされた条項の意義を探るためにも、判例の総合的な研究が必要である。同一の事項についてのすべての判決を探り、取り扱われた事実の微妙な差異に注意しながら、総合的・発展的に研究するのでなければ、判例の研究は、決して終局の目的を達することはできない。そしてそれには、時間をかけた克明な努力を必要とする。

幸なことには、わが国でも、十数年来、そうした研究の必要が感じられ、優れた成果も少くないようになつた。いまや、この成果を集め、足らざるを補ない、欠けたるを充たし、全分野にわたる研究を完成すべき時期に際会している。

かようにして、われわれは、全国の学者を動員し、すでに優れた研究のできているものについては、その補訂を乞い、まだ研究の尽されていないものについては、新たに適任者にお願いして、ここに「総合判例研究叢書」を編むことにした。第一回に発表したものは、各法域に亘る重要な問題のうち、研究成果の比較的早くでき上ると予想されるものである。これに洩れた事項でさらに重要なもののあることは、われわれもよく知つている。やがて、第二回、第三回と編集を継続して、完全な総合判例法の完成を期するつもりである。ここに、編集に当つての所信を述べ、協力される諸学者に深甚の謝意を表するとともに、同学の士の援助を願う次第である。

昭和三十一年五月

編集代表
小野清一郎　宮沢俊義
末川　博　我妻　栄
中川善之助

凡例

一　判例の重要なものについては、判旨、事実、上告論旨等を引用し、各件毎に一連番号を附した。

二　判例年月日、巻数、頁数等を示すには、おおむね左の略号を用いた。

大判大五・一一・八民録二二・二〇七七　（大審院判決録）
（大正五年十一月八日、大審院判決、大審院民事判決録二十二輯二〇七七頁）
大判大一四・四・二三刑集四・二六二　（大審院判例集）
最判昭二二・一二・一五刑集一・一・八〇　（最高裁判所判例集）
（昭和二十二年十二月十五日、最高裁判所判決、最高裁判所刑事判例集一巻一号八〇頁）
大判昭二・一二・六新聞二七九一・一五　（法律新聞）
大判昭三・九・二〇評論一八民法五七五　（法律評論）
大判昭四・五・二二裁判例三・刑法五五　（大審院裁判例）
福岡高判昭二六・一二・一四刑集四・一四・二一一四　（高等裁判所判例集）
大阪高判昭二八・七・四下級民集四・七・九七一　（下級裁判所民事裁判例集）
最判昭二八・二・二〇行政例集四・二・二三一　（行政事件裁判例集）
名古屋高判昭二五・五・八特一〇・七〇　（高等裁判所刑事判決特報）
東京高判昭三〇・一〇・二四東京高時報六・二民二四九　（東京高等裁判所判決時報）
札幌高決昭二九・七・二三高裁特報一・二・七一　（高等裁判所刑事裁判特報）

前橋地決昭三〇・六・三〇労民集六・四・三八九　（労働関係民事裁判例集）

その他に、例えば次のような略語を用いた。

裁判所時報＝裁　時　　家庭裁判所月報＝家裁月報

判例時報＝判　時　　判例タイムズ＝判　タ

目次

職業安定法上の諸問題

石崎政一郎

駐留軍労務者の雇用関係　　西川美数

労働仮処分　　岸　星一

職業安定法上の諸問題

石崎政一郎

はしがき

現行の職業安定法は、職業の安定のために国の行うべき業務および施設に関する部分と職業選択の自由の尊重のもとにおける就業の機会の確保に関する部分と利得の目的で行われる就業介入の弊害の排除に関する部分とに大別できるところの三つの部分から構成されている。しかし職業安定法に関係のある判例の大部分は、だいたい三つの部分のうち後二者にかぎられているのが実際であつて、職業安定法に関する判例上の諸問題といつても、その範囲はかなり狭いといわざるをえない。そして本研究では、このように範囲のかぎられた判例のひとつひとつについて事件の内容をくわしくのべて裁判所の判断の当否を批判するという仕方よりも、職業安定法の諸規定を裁判所が、どのように解釈しているかをあきらかにしながら判例の体系化をこころみるといつた方法に重点をおいてみたのである。

一　職業安定制度と職業安定法

わが国の職業安定に関する法律制度は、職業安定法だけで構成されているものではなく、現在の職業安定の概念からいえば、職業安定法のほかに職業の定着にふかい関連をもつところの職業訓練法、身体障害者雇用促進法、雇用促進事業団法、緊急失業対策法、失業保険法などの諸法律を包含しているというべく、さらに雇用の安定のために必要な、労働関係の契約的安定を確保する労働基準法および労働組合法などの諸規定にも関連をもつている。職業安定制度は、これらの数多い法律の総合的な体系を基礎とするものと解さなければならない。したがつて、この角度からいえば職業安定法は、わが国の職業安定制度を構成する唯一の法ではなく多数の法律のうちの一つにすぎない。しかし職業安定法は、その一条で、同法が各人の能力に適当する就職の機会をあたえることによつて工業その他の産業に必要な労働力を充足して職業の安定をはかることを目的とするとのべ、同四条で、この目的を達成するために政府としては、労働力の需給の調整および労働力の利用の計画を樹立し、また失業対策を確立し、さらに就業のあつ旋および無料職業紹介事業を経営するとともに民営職業紹介事業を監督し、また求職者に対して職業指導を行い、さらに労働力の需給関係の資料の蒐集とか失業保険制度の運用とか公共職業安定制度の運営などについて学校その他の機関の協力をもとめるとか、協力機関を指定するとか等の業務を行うと規定しているところからみても、また同法が労働力の需給の円滑化と労働条件の標準化とをはかるための諸原則をかかげ、これとともに職業安定機関に労働条件その他について指導監督を行う権限をあたえているところからいつても、同法の立法者は、職業安定法をもつて職業安定制度を構成する主要な法律であると解し、職業安定の全般に関する基本法的性格を同法にあたえるにつとめたことが推測される。

したがつて、職業安定法に関する判例上の諸問題といえば、そこには、職業安定の重要な部面における同法の運営をめぐつて生ずるとかんがえられる問題についての豊富な判例の展開が期待されてよいのであるが、実際には同法に関する判例は、僅少であり、かつ数のすくない判例のとりあげる問題は、かなり片寄つていて、その大きな部分は、職業紹介、労働者募集および労働者の供給等にさいして要請される労働者の保護に関するもので占められている。もし職業安定制度の現代的目標が新しい意味での雇用の安定とか職業の定着とかを確立することにあるとするならば、職業安定法に関する判例は、職業の安定段階に到達する起点ともいうべき「就業の機会」の部面に、その多くがかぎられているのが現状であるということができる。職業の安定を積極的に実現する措置等に関する判例は、職業安定法が、これらに関する規定をもつているにもかかわらず、ごくわずかしかみあたらない。これは、一般に指摘するように実質上は職業安定法では職業紹介、労働者募集、労働者供給等に関する規定の比重が同法の全内容からいつて意想外に大きく求職者保護法の色彩がつよいことにも由来するのではなかろうか。いずれにせよ、職業安定法の判例の多くは、職業安定制度全体の構図からいえば安定制度の序の口の諸問題に関するものであるといつて差支ない。また逆に判例のほうからいえば職業安定法が現実にはたらかせている機能は、往時の職業紹介法にくらべて大差がなく、立法者の期待する機能を十分に営んでいないとみることもできよう（現在の職業安定制度の運用、職業紹介機関の活動などが、制度本来の目的を十分に達成するにいたらない状況については、蓼沼＝小川「働く者の生活と現代法」、青木＝外尾「現代法における労働保護」を参照。いずれも「現代法と労働」現代法10（岩波書店）所収）。

一　職業安定制度の動向

職業安定法に関する判例上の諸問題を解明するにさきだつて、職業安定に関する法律制度、すなわち職業安定制度の発展過程にあらわれている諸動向について概述しておこう（職業安定制度の発展については菊池「労働法」昭和一五年・新法学全集（日本評論社発行）において第二編各論第一章「労働紹介法」で詳述され、また内山「職業安定制度」労働法講座Ⅳ所収（有斐閣）は、発達の概観を展述する）。あるいは、そのうちの一つの動向が職業安定制度の一つの時点において制度の支配的な要素を形成すると解するならば、職業安定制度の諸動向をのべることは、制度の支配的要素をあきらかにするということになるであろう。むろん、このような分析であらわれる制度の動向とか、あるいは支配的要素とかは、職業安定制度の、ある時点において専らあらわれ他の時点では消滅して、そこには他の、まつたく別な動向だけがみられるというわけではない。そして、これらの諸動向は、多かれ少なかれ継続性をもつから、制度の実態からいえば職業安定制度では発展にともなわれて多数の要素が、むしろ競合あるいは共存するかたちをとり、制度の動向は、多角となり、ある意味では複合的となつてくる。この意味で現在の職業安定制度は、数多の異なる動向又は要素の混成といつてもよかろう。そのうえ職業安定制度を構成する法律のなかには、立法技術または政策上の理由から同一の法律で異る志向をしめす規定を並列させるものがあることは、いうまでもない。ただ、ある制度では、ある要素又は動向が他の要素又は動向にくらべて優つているとか、いつそう支配的であるとかいう相対的な意味で、その制度の要素又は動向を制度の特徴としてとりあげて他の制度と区別してみることは、可能であり、これによつて職業安定制度の、それぞれ異つた「型」とか「類型」とかいつたものがかんがえられる。

そして職業安定法を主題として現在の職業安定制度をかんがえるならば、おそらく、それが雇用自由型であり、したがつて労働保護の要素が支配的であるといつて差支えなかろうが、前述のように職業安定法が、職業安定を目的とする同系列の他の諸法律と一体となつて安定制度を構成するものと解するならば、わが国の職業安定制度が、他の主要産業国とおなじように、雇用の自由を主軸とした職業紹介を中心とする制度から雇用の流動を原則とする職業の定着又は雇用の安定を確保する新しいシステムへすすもうとする方向を展開する諸要素をくわえるようになつているということができるであろう。

（一）　自由主義の尊重　　職業安定制度における自由主義は、安定制度が職業選択の自由、職業紹介の自由、労働者募集の自由等を制度の根本原則とするときに明瞭にあらわれる。だいたい初期の職業安定制度は、自由主義的な職業紹介制度であつて、国家は、いわば監視役の立場で雇用の促進を図るにとどまつていた。そして現在の職業安定制度においても自由主義的制度をまつたく無視するわけではなく、職業安定法は、かえつて職業選択の自由が制度の基本原理であることを明白に表示している。ただ現在の職業安定制度は、初期の制度と異つて自由主義的要素が他の、あるいは自由主義の原則の作用を制肘するような他の諸要素と競合または共存することを容認する段階にまで発展しているところにおいて初期の安定制度の場合と区別されるが、いずれにしても自由主義的傾向は、今日でも制度の重要な要素の一つであることがみとめられる。

いうまでもなく職業安定制度の自由主義的傾向は、労働市場の組織化の進行によつて制約される。労働市場は、一九世紀には主要な産業国においてさえ十分に組織化されず、一般に労働力の需要と供給とは、各人の欲するところにしたがう自然的操作によつて成行のままに充足されていたが、やがて今世紀にはいると主要な産業国では産業関係の発展にともない、いままで自然操作に依存していた労働力の需要供給が、しだいに人為的に充足される傾向をつよめ、労働の機会を供与するために求人者と求職者とのあいだに第三者が介入して積極的に両者の接近、連絡をはかり雇用関係の成立をいつそう容易にするようになる。しかし、これらの介入は、長いあいだ各人の自由な発意にしたがい任意に定められる方法で行われ、各人が他人の介在関与を利用するか否かは、各人の自由にまかされ、なんら強制されることがなかつた。現代の組織化された労働市場では、むろん労働力の需給自由の原則の制約される部面がますますひろがつてはいるものの、なお職業安定制度は、この原則に相当に大きく準拠している。

私人による任意の介入は、歴史的に職業紹介事業とか労働者募集業者とかいつた形態のもとに行われてきた。職業の紹介についてみれば、二つの形態があらわれてくる。その一つは、他人の就業に介入することによつて利益をうることを目的とするもので、職業のあつ旋をするにあたつて仲介者が実費のほかに利益を加算した手数料、報酬その他を求人、求職を依頼する者に請求する。そして、この種の職業紹介その他は、私人の経営する営利目的の有料の職業紹介事業のかたちをとる。他の一つは、社会奉仕又は社会救済を目標として職業紹介その他を行うものである。利益をうることを目的としないで他人の就業に介入するところで前者と区別される。そして社会奉仕としての職業紹介事業は、求人者と求職者とを接触させるにあたつて手数料とか報酬とかを一切請求しない私営の無料の紹介事業であるものと実費だけをうける有料の紹介事業であるものとにわかれる。営利目的の職業紹介は、口入屋・桂庵・周旋屋などの名称で営業として行われたものであり、無料の職業紹介事業は、明治時代に社会事業団体の活動によつてはじめられ、とくにキリスト教的社会奉仕につとめる「救世軍」の主要な活動の一つであつた。

しかし営利を目的とする有料職業紹介は、紹介者が利得を目的として、かつ営業として行うために、しばしば不当な紹介料・周旋料等を求人者、求職者に要求し、とくに貧困な求職者が、これによつて搾取される弊を生み、また営利目的の有料職業紹介では人間の労働が直接に営利の目的となるために労働者の失業が労働者にとつては生存にかかわる災厄であるにかかわらず紹介業者にとつては失業者を職業紹介することによつて利得する機会を多くするという反倫理性が露呈され人道的立場からも批判が加えられる。やがて営利目的の有料職業紹介事業については国または公共団体が監督を強化して設置の自由に制限をくわえることが提唱される。

これに反して社会奉仕の精神にもとづく職業紹介は、事業として行われても利益をうることを目的とせず手数料その他一切を請求しない無料の職業紹介事業にとどまるかぎり、それが私営であつても有料職業紹介事業、とくに営利を目的とするもののような弊害を生ずる虞がなく雇用機会の供与のうえからいつて事業の発展がのぞましいが、私営の無料職業紹介事業は、すべて経営者自身の負担で事業が運営されるために経営者の財的負担能力に限度がある関係上、十分な活動が期せられない。かくて職業安定制度の活動を必要とする度合が高くなるにしたがい無料職業紹介事業は、私営から公営に移行し、私営として存続する有料職業紹介事業は、ますます制限される。もつとも近年にいたつてからこの種の紹介事業は、多くの欠陥があるにかかわらず、事業の経営者が一般に求人求職の実情に精通し労働市場の動きに敏感であつて求人者と求職者との接触を機宜に応じて速かに行う特徴をもつ関係上、特殊の職業分野では実費、営利を通じて有料職業紹介事業のはたす役割の重要性を無視するわけにゆかない。かくて現在、有料職業紹介事業に対する監督の強化と同時に反面では私人の経営する職業紹介事業にも法律上の根拠をあたえて、これを単なる事実上の存在から法律上の制度に転化させて適正な発展を期することが要望され、すくなくとも法定の除外事由に該当する有料職業紹介事業については、その維持発展の方策が考慮されている。このことは、最近の中央職業安定審議会の有料職業紹介事業に関する答申（昭和三九・一〇・三一付答申・労働時報一七巻一二号）があきらかにする。

（二）　労働保護の要素　　職業安定制度は、就職の機会の段階において労働者を公権力によつて保護することを主たる目的とする場合がある。私営の有料職業紹介事業を無料の公共的職業紹介制度で置換えるとか労働者募集に対する公権力による監督を強化するとか労働者供給事業を制限又は禁止するとかは、いずれも求職者を中間搾取や人身拘束の危険から保護するためであり、強制労働の弊から労働者を解放するためであつて、職業安定制度は、かような場合には、労働保護的傾向にあるとか労働保護の要素が支配的であるとか制度が求職者保護型であるとかいうことができる。

労働保護に重点をおく職業安定制度では、職業紹介その他の事業を国又は公共団体が管掌し労働者が労働の機会をうる段階で経済的にも人格的にも不当に利益を侵害されることから労働者を護る法的手段が一般に講ぜられる。国家の強権的な関与が行われ、禁圧的な規制が制度の中心となつている。そして同時に労働法における、いわゆる労働保護制度が古典的な干渉主義的傾向をもつているとおなじく労働保護型の職業安定制度は、ある意味では自由主義的安定制度の他の反面であるともいうことができる。けだし労働保護的規制は、雇用の自由、職業選択の自由に関する原則の容認を前提とし、これを根拠として発展するものだからである。現行の職業安定法が、この職業安定制度の古典的伝統的役割について相当にひろく規定していることは、容易にみとめることができる。

（三）社会危険の観念の導入　国家は労働の能力と意欲とを有する者のために各人の個別的事情に即して雇用の機会を職業安定制度によつて提供することに努力するが、さらに現在では、社会的経済的変動にもとづいて生ずる失業を救済するために失業対策の角度から職業安定制度を運用して雇用の機会を集団の立場で計画的に造成することを工夫する。職業安定法によれば、政府は、職業の安定をはかる計画の一つとして失業者に対して職業に就く機会をあたえるに必要な政策を樹立し、実施する義務があり、また、失業保険法の規定にもとづいて給付をうける者の職業紹介につとめ、あるいは、これらの者の職業指導を行つて失業保険制度が適正に運用されることを図るべきものとされている（職安四 2・8）。失業救済の直接の目的は、失業者の失業中のあいだの「生活の安定」を図ることであつて、職業の安定ではないが、失業救済は、いうまでもなく労働者が意に反して職を失つた場合に、次の職をうるまでの中間の生活を保護するという意味での生活の安定を図ることであつて、失業救済に関する諸制度において救済をうける資格要件として多かれ少なかれ失業者が適職をえられない状態にあることをあげているところからいつても、究局のところは、職業の安定を目的するということができる。

そして、失業救済が職業安定制度の目的の一つとなることによつて制度の基本理念に社会危険の観念が導入される。けだし失業救済制度における失業は、一つの社会的災厄とみなされ、この災厄からの救済は、あたかも労働災害の補償のように社会的立場から社会危険の観念にもとづいて行わるべきであるとされるからである。このような考え方から失業救済は、職業安定制度における重要な主題の一つとされてきたし、また現在でも重要性を失わない。しかし失業救済が職業安定制度の事業のすべてでないことは、いうまでもない。それにもかかわらず職業安定制度、とくに、そのなかの職業紹介制度が失業救済のために過去において最も多く利用され、現在でも職業安定所等の機関の利用率が失業者あるいは不断に失業の危険に直面する日雇労働者、季節労働者、臨時工等の名称でよばれる短期労働者において最も大きいという関係上、職業安定の理念と失業救済の理念とは、混同して理解される危険がないではない。旧職業紹介法のもとでは公営の職業紹介事業が失業救済のための事業であり、職業紹介所が失業救済を遂行するための機関として一般には理解されて利用されてきたことは、周知のところであるが、この考え方は、現在の職業安定法のもとにおいても消滅したというわけではない。

（四）　経済的要請の充足　　第二次世界大戦がおこると参戦国は、もちろん、その他の国々でも世界的な戦時経済を運営してゆくために大幅の経済統制を実施したが、その一環として国家は、権力的に労働力を統制し、あるいは管理し、その利用を指図し、これを軍需産業方面へ配置し戦時経済の運行の必要とする労働力を充足するために職業安定制度を利用することが行われた。ここでは職業安定制度は、労働力の配置を行う制度に転化し、自由な雇用の促進のために運営さるべき制度が経済目的に奉仕するために運営される制度へ移行することになる。

昭和一三年制定の職業紹介法は、失業救済法的傾向がつよくあつたが、昭和一五年に改正された以後は、同法は、軍需経済的な目的を達成するための職業紹介制度、あるいは経済目的のために労働力を職業紹介組織の利用によつて配置する制度を確立することを主たる役割とするようになつた。すなわち同法は、準戦時経済態勢のもとにおける労務の適正な配置をはかるために政府が職業紹介事業を管掌することをあきらかにするとともに、改正の趣旨として「支那事変の勃発と同時に軍事産業における労務需要の激増に伴い全国の職業紹介機関は、直ちに軍需労務の充足についての態勢をととのえることになつたのである……そこで政府としては、労務統制の第一歩として、地方庁の職業行政機関の整備充実に努めると共に、職業紹介法の全面的改正を行い、職業紹介事業の本質を……国家の要請に即応する労務の適正配置に置くこととし、これに伴つて職業紹介所も、従来の道府県営又は市町村営から国営に移し、国の行う労務統制の実施機関とするに至つたのである。そして職業紹介事業のみならず職業指導とか職業補導とか、その他必要な事業も行い得ることとし、また労務統制を強化するために民間の無料及び営利職業紹介事業並に労務供給事業、労務者募集についても規制を加えることになつた」ということがのべられた（武藤文雄・労務統制法（昭和一六年）序説参照）。かくて職業紹介法は、職業安定制度全体の仕組を戦時経済目的に奉仕させるかたちにととのえ、これによつて労務の統制は、戦時状態の展開にしたがつて全面的に、かつ強力に行われることになつた。そして「職業紹介所は、労務配置の機関として登場することになつたのであるが、さらに時局の進展に伴い政府においては、労務動員態勢に対応して、つぎつぎに国家総動員関係の統制を行うことになるや、職業紹介所の使命は、いよいよ重大性を加えることとなつて来た」ということで職業紹介所は、国民職業指導所という名称をもつことになる。「高度国防国家建設のための国民職業再編成に関しての第一線の機関としてその名も改められて国民職業指導所となり、その機能の積極化は、ますます期待されているのである」（前掲武藤・労務統制法参照）。要するに職業紹介法のいう職業紹介事業における職業紹介そのものは、各自の自由意思を基礎として求人求職の両者のあいだの仲介にたつて両者をあつ旋するという本質を保有し国家権力で一方的に労務の配置を行うまでにはいたらなかつたとしても、政府は、戦時経済目的を充足するために職業紹介事業を直接に管理運営し労務の配置をはかつたのであるから、職業安定制度は、戦時経済の要請に応ずる労働力の需給配置を支配的な要素とする制度に変化したといえる。さらに戦時状勢の深刻化とともに労務の配置が職業紹介法だけでは不十分とされ、労働力を人的資源として物的資源とならべて統制の対象とした国家総動員法にもとづいて学校卒業者使用制限令、国民職業能力申告令、従業者雇入制限令（後に従業者移動防止令と改められた）、工場事業場技能者養成令、国民徴用令、青少年雇入制限令その他が公布され労働力の移動配置を国家が独占したことは、周知のところである。

しかし職業安定制度を経済目的に奉仕させることは、かならずしも戦争等の非常事態に対応するために国家が権力的に労働力の統制を行う場合だけに限定されるものではなく、平常の経済情勢の変動に対処するために労働力の需給の調整をおこなう雇用政策を実行する場合にも、派生的にあらわれる。そして法律が、このことを予定して制度をととのえておく場合があり、職業安定法は、これに、かなりひろい範囲にわたつて該当するということができる。同法一条は「各人に職業に就く機会を与えることによつて工業その他の産業に必要な労働力を充足し以て職業の安定を図るとともに、経済の興隆に寄与することを目的とする」と規定し、同法四条では「政府は、第一条の目的を達成するために……国民の労働力の需要供給の適正な調整を図ること及び国民の労働力を最も有効に発揮させるために必要な計画を樹立すること」を規定し、同法一四条・一五条によれば、職業安定局長は「都道府県及び公共職業安定所の労働力の需要供給に関する調査報告により、雇用及び失業の状況に関する資料を集め……研究調査の結果に基いて、労働力の需要供給の調整を図り、以て雇用量を増大することに努め……また労働者の募集、選考、配置転換等に関する問題の処理について、雇用主から指導を求められた場合においては、職業に関する調査の結果に基いて、その処理に必要な資料、方法および基準を指示し、以て産業の進展に奉仕することに努めなければならない」ということになつている。

そして、これらの規定から現在の職業安定制度の主要な役割としては、職業安定法からいえば、各産業の要請に応じて生産度の高い労働者を供給し生産向上に寄与することであり、さらに労働力の不足している地域又は産業と、労働力の過剰である地域又は産業とのあいだの格差を調整することによつて労働力の均等な配分を行うことである、ともいうことができる。そして、このことは、職業訓練法が「工業その他の産業に必要な技能労働者を養成し……」「経済の発展に寄与する……」(職訓一条)と規定するところに照応する、したがつて、たとえ職業安定法の内容の取扱については、多少、同法の制定当時における終戦直後の壊滅した産業の早急の復興の要請という特別の事情のあつたことを考慮するにせよ、職業安定法によつてたてられた職業安定制度には、経済目的を充足する制度という傾向が相当につよくあらわれているとみるべきであろう。

新聞（日本労働協会刊行「週間労働」昭和四一・四・四、三一四号所載記事）のつたえるところによれば、政府は、雇用対策にかんする「雇用対策法」案を国会に提出し、これによつて労働力の需給の不均衡を是正し求人秩序の正常化をはかり労働市場の混乱を解消又は阻止し、これとともに労働力の有効な活用をはかり技術労働者を確保し労働力の流動化を促進し、現在の均衡を失した労働力の不足する状態に移行する経済情勢に対処しようとかんがえている。さきに政府が雇用審議会に諮問した原案によれば、国は、労働力の均衡をはかり、労働者が職業能力を有効に発揮することによつて労働者の経済的社会的地位を向上させ、その結果、国民経済の均衡のある発展に寄与することになるようにするために雇用政策の全般にわたつて必要な施策を総合的に講じ、このような目的を達成するために、国は、労働需給に関する基本計画をたてて職業紹介事業の充実をはかり技能者に関する訓練および検定事業を整備し職業転換とか地域間移動といつた雇用の移動を援助し、また労働力の需給の均衡をはかる措置として求職者および求人者に対して必要な指導を行う、というのである。したがつて、かりに原案に副つた新法が成立すれば、この新たな経済法的性格の法は、今後の職業安定制度を構成する法の一つとなつて現在の職業安定法、職業訓練法等のもつ経済目的充足の性格をつよめ、これによつて職業安定制度は、経済的変動に対処する経済目的の充足のための制度という色合をいつそう濃厚にすることになるが、他方では、それだけ職業安定制度のもつべき社会的人間的要請の充足の動向が不明瞭になる危険がないとはいえなかつたわけである。国会に提出された法案は、この原案の傾向を緩和し、経済的要請の充足よりも社会的人間的要請の充足を前面に出してはいるが、なお問題は、いろいろのこる。

（五）雇用の保障と安定　第二次世界大戦の終了とともに、諸国において戦時中の強権的な労働力の統制が廃され、雇用の自由・職業選択の自由の原則にもとづき職業安定制度の再編成が行われたことは、周知のところである。しかし安定制度の再編成は、多くの部面において既往の自由主義的制度の単純な復活ではなく、雇用の保障と安定とをはかることを主たる目的とする一つの新たな職業安定制度をととのえることである。国家が、一方では自由な雇用の機会を供与するために積極的に諸施策をたてるとともに、他方では労働関係においても一般的利益の優先ということをみとめ、これがために公共の福祉の観念によつて国家が必要な範囲内で雇用を規制する。いうまでもなく、この新たな職業安定制度の形態とか運営方法とかは、それぞれの国の職業紹介事業その他の職業安定機構の発展過程の差違を反映するから同一ではない。ある国では職業安定のための事業の管理運営を国家の独占から解放し管理の権限を地方公共団体に委譲し、ある国では労働組合が事業の管理運営を行うことを奨励し、ある国では職業安定のための諸事業の公営主義を逆に緩和し私営の無料職業紹介事業その他の発展を促進させる等、変化に富み一定していない。しかし、いずれの職業安定制度においても雇用の安定または職業の定着を究局の目標としているところが共通である。すなわち職業安定制度は、単に労働の機会の供与に終始すべきではなく、積極的に労働者の職業指導とか職業訓練とか技能修得とかを組織的に行い労働者教育を発展させ労働者の職業的適格性の増進を社会的観点から確立することに努力しなければならないという思想にもとづいている。

かようにして職業安定制度は、いわゆる労働者の「社会的昇進」をはかることを主要な目的とし、国家は、この目的が達成されるように他の職業安定機構に協力をあたえ又は協力をもとめる。むろん職業安定制度において労働の機会の供与ということの重要性が失われたわけではないが、制度の構造の重点が職業補導又は職業訓練とか職業教育とかの、雇用関係の保障と安定とに役立つ技能的要素の培養という部面に転位していることがみとめられる。そして、これに対して国家は、積極的な措置をかんがえるが、この国家の措置は、職業関係に対する統制的関与というよりも職業関係の安定のための国家の協力的関与であり、あるいは調整であると解するのが、いっそう妥当である。わが国の職業安定法を基本法とする現在の職業安定制度にも、おなじく、この傾向をみとめることができる。職業安定法は、一条で「公共に奉仕する公共職業安定所その他の職業安定に関する機関は、関係行政庁または関係団体の協力を得て……職業の安定を図る」と規定するが、これは、協力の思想の一端をしめすものといえよう。

現代の職業安定制度は、社会的昇進の理念に基礎をおく雇用の保障と安定とを主たる要素として職業の定着の概念も、職業安定の概念も、この意味において理解される制度の具現化という方向にすすんでいる。したがって職業安定制度を構成する法の範囲も過去にくらべていちじるしく広汎とならざるをえない。もし、わが国の職業安定制度も、この方向にすすむものとするならば、職業安定法は、しだいに職業安定の一端をになう法律にすぎないといった様相を濃くするであろう。雇用対策に関する雇用審議会の答申（日本労働協会発行「週刊労働」昭和四一・一・一、三〇〇・三〇一合併号所載）は、近代的労働市場における職業安定に関する主要な諸問題を全面的に雇用政策の角度からとりあげるものであるが、いうまでもなく、この答申は、職業安定制度が雇用政策をとおして産業構造の変化の伴う労働力の需給の変化に応じて経済成長の要請を充足させる機能をもつことをみとめ、その十分な発揮を期待する。この意味では、経済目的に奉仕する職業安定制度を提唱するといえる。しかし、この提唱は、答申全体の表現からいって副次的であつて答申が職業安定制度に期待しているところは、現代的意味の雇用の安定、職業的定着を確保する制度の確立にある。別言すれば答申は、近代労働市場の形成、労働力の適応性と流動性との向上、技術者技能者の養成と職業指導の充実、および既婚婦人、高年齢層に関する施策等によつて雇用の安定を要素とする新型の職業安定制度の定立を提唱する。そして、かような職業安定制度が確立されて、はじめて答申の雇用政策が実現されるともいえよう（職業安定局「雇用政策の今後の方向」労働時報一九巻二号参照）。

雇用審議会の答申は、第一に「近代的労働市場の形成」を強調し「雇用に関する慣行を改めるためには、労働市場の状況、将来の見通しなどを情報として十分に提供するとともに労働市場が職種を中心として形成されることを促進する対策が行われる必要がある。また不安定な雇用形態が改善され、すべての雇用について労働の諸条件が明確に示されるように対策を行なうとともに、監督機関の強化をはかる必要がある」として「労働市場に関する情報の提供」「職業能力、職種を中心とする労働市場の形成」「職業安定機関の体制の整備」および「最低労働条件の確保」の四つの施策措置によって近代的労働市場の形成の実現をはかろうというのである。そして、ここでは職業安定機関の活動に期待がよせられ「技能検定の範囲は、現行の生産技能種類について拡大するものはもとより事務関係職種に共通して必要な技能も加え……検定制度の設けられている技能を内容とする職種については、社会的にこれが広く評価されるようにするとともに、職業安定機関の業務などに反映させ……また公共職業訓練、学校関係における技能教育が技能検定制度と関連づけられ、それらの終了者が一定の技能資格をもつことができるようにする……」。そして「公共職業安定所の配置網を労働市場の変化に対応して適時に再編成しうるように、その体制を整え……公共職業安定所の職業紹介業務の取扱い範囲を拡大し、同所以外の機関の行う職業紹介事務範囲を漸次縮少し……また同所の業務が職業能力、職種に関する調査研究の成果等をもとに専門化して行いうるように、その改善をはかる……」。また最低労働条件の確保にあつては、実態に応じて実効のある最低賃金制の実施のほかに、臨時雇用、社外工、季節出稼労働者等の不安定な雇用形態の改善と離職者に対する再雇用の促進のための措置等が要請されている。

答申は、第二に「労働力の適応性と流動性の向上」を提唱し「雇用需要の集中する若年層に比し技術革新の進行その他の条件から雇用需要面における地位が相対的に低下している中高年層については、つぎのような措置によつて新しい雇用需要に適応しつつ雇用の安定がはかられるようにしなければならない……」として「職業訓練の拡充」「適応条件の整備」および「住宅対策」の措置を提示する。そして職業訓練については「企業内の再訓練の実施を促進するため、資料の提出、講師の派遣、施設の提供等の措置を充実……」させ、また「現に就業している者が、その技能の向上のため、あるいは他の技能への転換のために利用しうる公共職業訓練施設の充実を、夜間における訓練課程の拡充によつて行う……」ことを提唱する。

答申は、第三に「技術者、技能者の養成と職業指導の充実」を強調する。「若年層に対する能力の開発向上対策をいつそう充実するとともに、その職業選択が適正と希望とにそつて自主的に行いうるようにしなければならない」として、このために技術者、技能者の計画的養成を提唱し、応用性の広い基礎的技能訓練の実施および中卒者、高卒者それぞれにふさわしい公共職業訓練体系の確立をはかり、また学校における職業指導と職業安定機関における職業指導について必要な具体的措置をあげて、その充実を要請する。

そして雇用審議会の答申は、第四の項において「産業近代化に関連する諸問題」のなかで「産業構造の変化の過程においては、近代化の進む分野と転換の行われる分野とに応じた労働力の移動が円滑に行われ、不完全な就業が残らないようにするとともに、近代化の進む分野においては、それにふさわしい労働力の構成が実現されなければならない……このために労働力の移動に関し……職業転換の援助措置を拡充すること」をもとめている。

二　職業安定法の目的

現在わが国の職業安定制度の基本法とかんがえられている職業安定法が、戦時中に国家権力による労務統制のための労働力の配置の法となつた旧職業紹介法とは、その原理のうえで相違していることは、いうまでもない。職業安定法は、憲法の保障する労働権を尊重するとともに職業選択の自由と均等待遇との原則に準拠し、個人の自由意思を尊重しながら各人の能力に適合する職業に就く機会をあたえ職業の安定をはかることを目的とする。そして、その結果として、工業その他の産業に必要な労働力を供給することを期している。しかし、職業安定の理念の実定法上の根拠については、諸説がわかれ、一般に憲法二二条一項と同二七条一項の双方に準拠する説と、憲法二二条一項だけに根拠をもとめる説と、憲法二七条一項だけに拠らしむべしとする説とに大別される。いま、これらの諸説をのべることは、省略するが、いずれの説によるにしても職業安定法が労働権を具現化し、その具現化が個人の自由と平等との尊重に由来する職業選択の自由の原則にもとづいているという基本的な考え方は、一致している。

しかし憲法二二条によつて保障される職業選択の自由が労働法の分野で具現化される場合には職業

安定法二条の規定のかかげる表現形式をとるとしても、この職業選択の自由は、労働者に対して、その欲する労働に就くことを国家が保障するのではなく、労働者が公共の福祉に反しない範囲で職業すなわち労働を選択し就業する自由を行使することを国家によつて阻止されないということを意味するから、もし国家をして労働者に労働の機会をあたえることを積極的に確保させようとするならば、職業選択の自由の原則に、憲法二七条の勤労権あるいは労働権の理念を結合させ、これによつて労働者が、この権利の保障によつて労働の機会の供与を国家に期待し、国家が、この期待に答えることに努力するという法律構成が、おのずから、かんがえられてくる。そして職業安定法は、職業選択の自由を二条で宣示するとともに一条で公共に奉仕する公共職業安定所等の職業安定機関が各人に適当する職業に就く機会をあたえて職業の安定をはかるといつている以上、その法律構造からみて憲法二七条の具体化の一面をもつていると解することができる。

職業安定法の目的に関する判例の見解の一は、【1】でいうように職業安定法の目的が労働の自由および職業選択の自由の保護にあるとしている。これは、職業安定法をもつて主として職業紹介、労働者募集の制度を規制する法と解する伝統的な立場にたつものであつて制度のもつ自由主義的基調に着目して公共の福祉の理念との一致をはかる所論である（阿久沢亀夫「職業安定法の目的」労働判例百選参照）。

【1】「職業安定法は、戦時中の統制法規と異り所論のように産業上の労働力充足のためにその需要供給の調整を図ることだけを目的とするものではない。各人にその能力に応じて妥当な条件の下に適当な職業に就く機会を与え職業の安定を図るこ

とを大きな目的とするものである。在来の自由有料職業紹介においては営利の目的のため条件等の如何に拘わらず、ともかく契約を成立せしめて報酬を得るため、更に進んでは多額の報酬を支払う能力を有する資本家に奉仕するため労働者の能力、利害、妥当な労働条件の獲得、維持等を顧みることなく労働者に不利益な契約を成立せしめた事例多く、これに基因する弊害も甚しかつたことは顕著な事実である。職業安定法は公の福祉のためこれ等弊害を除去し各人にその能力に応じ適当な職業を与え以て職業の安定を図らんとするもので、その目的のために従来弊害の多かつた有料職業紹介を禁じ公の機関によつて無料にそして公正に職業の紹介をすることにしたのである……」（最判昭二五・六・三刑集四・六・一〇四九）。

判例の見解の二は、【2】のしめすように職業安定法の目的を、各人の職業の安定が産業界の要求する労働力の急速な充実ということにもとめ、これによつて企業の経済的要請を充足させる面を強調する。【2】によれば「職業安定法の目的とするところは、各人に適当な職業に就く機会をあたえて職業の安定を図るとともに現在、国家にとつて重要な工業その他の産業の必要な労働力の充足を図り……経済の興隆に寄与することであり、この目的を達成する一方法として政府機関が職業紹介事業を行うこととするが、これは、現在のわが国情からみて極めて緊急適切な施策である」。したがつて職業安定法の主要な目的は、むしろ経済的要請の充足にある、とみる立場である。

むろん【1】でも【2】の見解をぜんぜん容れないというのではないが、【1】は、職業安定法の労働保護法的性格を重視するに対して、【2】は、産業の進展から生ずる当面の課題の解決を職業安定法にもとめるといいえよう。

【2】「職業安定法の目的とするところは憲法の定めている個人の基本的人権の尊重の趣旨に則り個人の自由意思を尊重し

つつ、その有する能力に適当な職業に就く機会を与えて、その職業の安定を図るとともに国家にとつて重要な工業その他の産業の必要な労働力の充足を図り以て経済の興隆に寄与するにあり、この目的を達成する方法の一つとして政府機関が職業紹介事業を行うこととするとともに同法第三二条において一般人が有料で又は営利の目的で職業紹介事業を行うことは原則として之を禁止し例外として之を許す場合についても厳格な制限を設けているのであるが、これは現在の我が国情の下においては極めて緊要で適切な施策であるといわなければならない。けだし、現在の我が国としては職業安定法の目的とする個人の職業安定と産業界における労働力の充足とは、極めて緊要な事項であるのに在来の職業事情乃至労働事情の実際に鑑みるときは、もし有料又は営利的職業紹介事業の自由な経営を認めるならば右二つの事項の実現に相当な妨げとなる虞のあることは論を俟たない所であるからである。果して然らば職業安定法第三二条による職業紹介事業の禁止又は制限は、公共の福祉のために外ならないものというべきであるから、この規定の結果、国民が有料の職業紹介事業に従事することを得なくなつたからとて憲法第二二条に違反するものではない」（仙台高判昭二四・五・一〇刑資五五・四六九）。

三　職業選択の自由と均等待遇

（一）　職業選択の自由　職業選択の自由が、労働法の対象とする従属労働すなわち一般に雇用関係のかたちをとる労働者の職業的活動の自由だけを意味するものではなく、ひろく人間が労働を選択する自由という意味であつて、労働法が雇用労働と区別して規制の外部におくところの独立労働をもふくむことは、いうまでもない。職業選択の自由の原則の歴史をみれば、むしろ当初は、この原則は、独立労働にあたる営業の自由の原則および、この原則に密接にむすびつく取引自由の原則にぞくする一つのカテゴリーとしてとりあげられている。

かように雇用労働にも独立労働にもあてはまる職業選択の自由の原則は、雇用労働が独立労働から分離されてとりあつかわれるようになると同時に、雇用労働においては職業選択の自由が労働選択の自由を一方では意味しつつ他方では雇用労働の労働が労働者にとっては職業であり、つまり労働が職業的性格をもつところから、その意味で、あらためて職業選択の自由と称されるようになった。そして憲法二二条の規定は、まさに歴史的意義の職業選択の自由の保障を公共の福祉の概念の制約のもとにのべているのであり、これに対して職業安定法二条の規定は、雇用労働における職業選択の自由をかかげ、公共の福祉に反しない限り労働者が自由に雇用主を選択できるとともに雇用主も労働者を選択する自由を妨げられないことをあきらかにする（職安則三参照）。そして職業安定法は、雇用労働関係における職業選択の自由を、なるべくひろい範囲で確保する建前をとり公共職業安定所をして、できるだけ多数の職業について求人の開拓を行わせ、これとともに求職者に対しては、公共職業安定所をして、できるだけ多数の適当な求人についての情報をあたえさせ、また他により適当な求職者がない場合には求職者の選択する職業について紹介するように努力させる（職安則二）。

職業選択の自由の原則については、さきにかかげた判例【1】および【2】でとりあげている。ただ職業選択の自由の原則が判例【1】および【2】のなかにあらわれているのは、職業安定法二条の雇用労働における労働者の職業選択の自由の問題としてではなく、それよりもひろい意味の、いわば営業自由の原則をもふくむ職業選択の自由に関する問題としてである。すなわち憲法二二条との関連において職業安定法の規定が問題にされたものである。

判例【1】によれば、有料職業紹介は、営利の目的があるために労働者にいちじるしく不利益な契約をさせ、その結果、多くの弊害を生ずる。そこで職業安定法は、これらの弊害が労働者の利益だけでなく社会一般の利益を害することにかんがみ、これらの弊害を除去し、各人が、それぞれ能力に応じて妥当な条件のもとで適当な職業を自由に選択し、且つ選択する職業があたえられる措置を定める。その措置の一つとして同法は、公共の福祉の立場から有料職業紹介事業を禁止するとともに、これに代つて公の機関による無料の、かつ公正な職業紹介を行うことを確立するものである。したがつて同法が有料職業紹介事業をいとなむ自由を禁止しても憲法二二条の規定に違反しない、というのである。

判例【2】は、おなじく有料職業紹介事業の禁止に関するものであるが、職業紹介事業を経営する自由と公共の福祉の観念とを対決させるにあたつて【1】とは、論拠のおき方が異つている。【2】のいうところによれば、個人の職業の安定と産業界における労働力の充足とを目的とする職業安定法では、職業の安定と労働力の充足とは、ともに、わが国の経済界の現状からいつて緊急な事項に該当し、もし実費又は営利的職業紹介事業の自由な経営をみとめるならば、そこに職業の安定が妨げられ、そのために産業界の必要とする労働力の充足に欠けるところが生じ、これによつて公共の福祉が害される虞があり、したがつて有料職業紹介事業を禁止しても憲法二二条の保障する職業選択の自由の原則に違反しないというのである。事例の有料職業紹介事業の内容からいつて結論としては妥当であるが、職業安定法の経済的目的と公共の福祉とを、判例【2】のように平易に直結させることが論理上首肯できるかについては、疑問がのこる。

（二）均等待遇　職業安定法三条本文は、均等待遇の原則をかかげて、何人も人種、国籍、信条、性別、社会的身分、門地、従前の職業、労働組合の組合員であることなどを理由として、職業紹介、職業指導等について差別的取扱を受けることがない、と規定する。そして、同法施行規則三条によれば、公共職業安定所は、すべての利用者に対し、その申込の受理、面接、指導、紹介等の業務について、法三条本文にかかげてある人種その他を理由として差別的取扱をしてはならないことになっている（職安則三I）。したがつて、求人者が、ある特別の信条をもつ求職者の採用をさけるために、特別の信条をもつ求職者を除外して、求職者の紹介をうけることを条件として、公共職業安定所に求人の申込をし、公共職業安定所が、かような紹介条件をうけいれて、求人申込を受理し紹介を行えば、均等待遇の原則に反する。公共職業安定所は、たとえ、求人者が希望しても均等待遇の原則に反する雇用条件がある場合には、求人者の紹介の要望をうけいるべきではない。そのうえ、職業安定法が公共職業安定所をもつて公共に奉仕する機関であると明示している以上、業務の運営にさいして特定の者だけを対象とすること、あるいは、特定の者を除いた他の者だけを対象とすることは、法律の精神に反する。もし、このような運営をすれば公共に奉仕する機関とはいえない。要するに均等待遇の原則は、憲法一四条が規定し、これをうけて職業安定法三条が職業紹介、職業指導等の分野において差別的取扱を排除するのであるから、公共職業安定所の業務も、これにもとづいて運営されなければならない。

職業安定法施行規則三条二項によれば、職業安定組織は、すべての求職者に対して求職者の能力に応じた職業に就く機会を多からしめるとともに雇用主に対しては絶えず緊密な連絡を保ち、労働者の雇用条件が専ら作業の遂行を基礎として定められるように雇用主を指導しなければならない。したがつて公共職業安定所は、求人の申込を受理するにさいしては、求人者に対して労働者の雇用条件を専ら作業の遂行を基礎として定めるように指導すべきである。しかし、その指導にもかかわらず求人者が均等待遇の原則に反する雇用条件を固執する場合には、職業安定局長通達(昭和二四・一二・三・職発一五〇四号)によれば、公共職業安定所は、この求人申込をすぐに不受理としないで、この差別的取扱の雇用条件に拘束されることなく、均等待遇に反しない雇用条件の部分について適当な能力があると評価する求職者を、いわゆる適格者選抜方式の原則によつて求人者に紹介し、それらの紹介された求職者については求人者が自己の責任において雇用するか否かを決定する。そして通達は、公共職業安定所が、このような措置を求人者に勧奨することを期している。

いうまでもなく職業安定法三条の均等待遇は、職業紹介等において職業安定機関によつて差別的取扱をうけないという意味であつて、紹介された求職者を求人者が雇用するにさいして三条の規定によらなければならないという意味ではない。雇用主が労働者を雇用するにさいして均等待遇の原則によるべきか否かは職業安定法三条の関知するところではない。そして、この点をあきらかにする職業安定法施行規則三条三項によれば、職業安定法三条の規定は、労働協約に別段の定ある場合を除いて、雇用主が労働者を選択する自由を妨げず、また公共職業安定所が求職者をその能力に応じて紹介することを妨げない。

判例【3】は、労働者が雇用されるにあたつて、経歴を詐称してレッド・パージで前職から解雇されたことを秘匿したことを理由に懲戒解雇された事件であるが、解雇された労働者は、使用者が労働者を採用するにあたつては、労働者の技能的経験をたしかめ、その採否を決定すべきであつて、レッド・パージをうけたことを採否決定の資料とすることは、職業安定法三条の均等待遇の原則と労働基準法二二条三項のブラックリスト記載禁止に反すると主張した。これに対して裁判所は、使用者が労働者を採用するにあたつて行う経歴調査は、単に労働者の技能経験の調査資料のためばかりでなく、その労働者の職場に対する定着性、企業秩序、企業規範に対する適応性等の人格調査の資料とするためであり、そして、これによつて労使間の信頼関係の設定および企業秩序の維持安定に役立たせようとするのであるから、労働者の経歴詐称が、かりに、労働者の技能経験に対する評価を誤らせなかつたとしても、その経歴詐称が、労働者の人格判断を誤らせ、又は誤らせる危険がある性質のものであつたならば、それは、使用者の定める就業規則に規定する懲戒解雇理由としての経歴詐称に該当する。そして企業秩序の維持安定のために、いわゆるレッド・パージをうけた者の雇入を拒否するか否かは、使用者が自由に決定できることであつて、職業安定法三条ないし労働基準法二二条三項は、このような使用者の雇用の自由まで封ずるものではない、として被解雇者の主張をしりぞけた。

職業安定法三条の法意は、すでに一言したように、同施行規則三条三項の規定とあわせてかんがえれば、使用者となるべき求人者に、その雇用する労働者となるべき求職者を紹介する、すなわち雇用関係の成立をあつ旋するにさいして、公共職業安定所等が差別的取扱をしてはならない、とするものであつて、求人者が、公共職業安定所によつて雇用関係の成立のためにあつ旋された求職者を採用するか否かを決定するにあたつて差別的取扱をしてはならない、という意味ではない。したがつて【3】で裁判所が職業安定法三条を根拠にした被解雇者である申請人の主張を却けたことは、妥当というべきである。しかし判例のいうように使用者は、雇用の段階においては労働者を採用するか否かが、まつたく自由であつて、なんら拘束をうけない、といえるか、については、諸説は、かならずしも一致しているとはいえない。むろん、判例が、職業安定法三条によつては、労働者を雇入れるか否かを決定する自由を妨げられないという意味のもとに、その範囲内で使用者が雇入れについて自由であるというのであるならば、異論の生ずる余地がない。しかるに判例が、使用者は労働者の雇入れについては全く自由に判断できるのであるから、企業秩序の維持安定のためにレッド・パージを受けたことを理由に、なんら他からの拘束をうけないで、労働者の採用を拒否できるという意味にもちいているのであるならば、問題は、異つてくる。一般の説では、使用者が労働者を採用するか否かは、使用者の企業経営における人事管理権の範囲内に入る問題であつて、使用者が自由に判断できると解されているが、他の説では特定の信条をもつことを理由に労働者の採用を拒否した場合には憲法一四条の規定との関連がかんがえられ、また、労働者が労働組合の組合員であつたことを理由に採用を拒否すれば、労働組合法七条の規定との関連がかんがえられるとする。しかし、いずれにせよ、職業安定法三条の規定の関知するところでないことは、あきらかである。なお、【3】では労働基準法二二条三項を被解雇者である申請人は、問題にしているが、これは、労働基準法の適用に関するものであるから、ここでは省略する。

しかし、職業安定法三条の規定する均等待遇の原則は、もし、雇用主となる求人者と労働組合とのあいだに労働組合法にもとづく労働協約が締結され、その労働協約で均等待遇の原則を制限する等の別段の定めがあれば、同法三条但書の規定によつて協約の条項が優先する。したがつて、雇用主と労働組合とのあいだに締結された労働協約に差別的待遇を行う規定があるときは、公共職業安定所が、その規定に即して職業紹介等において差別的取扱を行つても均等待遇の原則に違反しない。そして公共職業安定所は、均等待遇の原則に反する雇用条件を有する求人の申込があつた場合には、その雇用主の要望する雇用条件に合致する求職者を紹介するように努める。それ故に実務上の取扱としては、もし雇用主となる求人者が均等待遇の原則に反する雇用条件をもつて求人の申込をした場合には、公共職業安定所は、まず、その求人申込をした雇用主と労働組合とのあいだに労働協約が締結されているか否かを雇用主について明確にさせ、協約が締結されている場合には、その内容を確認したうえで雇用主の要望する雇用条件に適合する求職者を紹介するということになる。その場合に求人申込にある雇用条件が均等待遇の原則に反するものであつても差支ない。

さらに、さきにのべたように職業安定法施行規則三条三項によれば、同法三条の均等待遇の原則は、労働協約に別段の定めがないかぎり雇用主が労働者を選択する自由を妨げるものではなく、雇用主は、労働者を自由に選択し採用することができる。すなわち法三条の規定する均等待遇の原則は、職業紹介の段階の枠内でのみ作用するのであつて、労働者の採否決定の段階には作用をおよぼさない。判例【3】の「法三条の規定は、使用者の雇入れの自由まで封ずるものではない」ということにほかならない。しかし労働協約に別段の定めがある場合には、その定めによつて雇用主の労働者選択の自由が制限される。したがつて雇用主の労働者選択の自由は、職業安定法三条の均等待遇の原則には影響されないが、雇用主は、労働組合と締結する労働協約によつて制約され、労働者を選択するにあたつて協約上から均等待遇の原則をまもることがもとめられる。その場合に、即すべき均等待遇の原則が職業安定法三条のそれにあたるか、協約の定める採用基準の均等待遇の規定にあたるかは、もつぱら協約の内容いかんによるものとおもわれる。いずれにせよ、職業安定法三条但書の規定は、労働協約が、均等待遇の原則という限定された範囲内にせよ、協約当事者である使用者および労働組合ならびに組合員以外の、第三者である公共職業紹介所の行う職業紹介行為その他の、いわゆる職業安定行為まで律することを容認しているところにおいて注目せられる。労働協約の法源性を裏付けるものといえよう。

なお、職業安定法三条の規定にかかわらず公共職業安定所は、同法施行規則三条三項にもとづいて求職者を、その能力に応じて紹介することができる。そして、公共職業安定所は、職業的能力によらないで、ある労働者を他の労働者に優先して雇用することを求人者たる雇用主に強制することはできないが、公共職業安定所は、ある業務について最も適当と判断する者を他の者に先んじて紹介することができる。公共職業安定所が求職者を、その能力に最もよく適合する業務に紹介し、また、ある業務に最もよく適合するとおもわれる求職者を他の者に先んじて、この業務に紹介することは、法三条の均等待遇の原則に反して差別的取扱をするとはいえない。

【3】「申請人は、労働者がレッド・パージを受けたことを使用者が採否決定の資料としてよいかどうか問題である旨主張するが、企業秩序の維持安定のため使用者がレッド・パージ者の雇入を拒否するかどうかは使用者の自由に決し得るところであり、職業安定法第三条はもとより労働基準法第二二条第三項もかかる使用者の雇入の自由まで封ずるものでないから、申請人の経歴詐称がN所をレッド・パージにより解雇されたことを秘匿するためのものであつたとしても特にその不信義性を阻却するものでなく、被申請人が申請人のレッド・パージを秘匿した点を含めて前記経歴詐称により申請人を懲戒解雇したとしても何ら不当であるとは認められない」（日平産業懲戒解雇事件、横浜地判昭三八・四・二二労民集一四・二・一八五）。

四　職業の概念

（一）職業の理論上の概念

職業安定法も、その前法であつた職業紹介法も、職業の概念については明確に規定していない。そこで、まず職業を一つの社会現象として把握する場合の職業の概念、すなわち理論上の職業の概念についていうならば、職業は、人が生活するに必要な収益をうるために日常の仕事として定常的に継続していとなむ活動である、と解することができる。したがつて「職業」とよぶところの人間の活動の対象は、きわめて変化に富むものといわなければならない。しかし職業とよぶ人間活動は、人間のそれ以外の活動と区別して、構成要件をかんがえることができる。

職業あるいは職業的活動は、「勤労」又は「労働」という概念に連結する。職業を有するということ又は職業に従事するということは、勤労によつて生計を維持することを意味する。この場合の勤労は、それが独立でなされると、他人に従属してなされると、そのいずれであるかをとわない。しかし職業的活動は、勤労という源泉から生ずる利益を収めることによつて生活する活動であるから、職業を有する者は、この意味で勤労以外の収益で生活する者とは区別される。利子又は恩給等のみによつて生活する者とか被扶養家族とか社会保障の給付のみによつて生活する者とかは、いずれも職業を有する者のなかにはふくまれない。また職業活動が家庭生活における家族の日常家事と区別されることは、いうまでもない。

つぎに職業という活動は、これによつて所得収益をうるところに目的がある。すなわち職業をいとなむ者にとつては職業的活動は、その者の生活の資源にほかならない。職業的収益は、いろいろな形態をとり、ある場合には現実の所得と支出との差額すなわち利益といつたかたちのこともあり、ある場合には賃金またはは報酬のかたちでうける包括的な性質のもののこともある。後者にあつては使用者は、労働者の活動の経済的危険を負担し、職業上の収益は、使用者によつて職業をいとなむ者すなわち労働者に包括的に支払われる。

しかし職業という活動が収益をうることを特徴とする性格をもつとしても、この活動が職業をいとなむ者の生活をつねに維持するに足る収益をもたらすということを意味しない。たとえ生活を維持するに足る収益をもたらさなくとも、その活動をする者の処分できる時間の全部を、この活動の必要とする平均時間に充当し、これによつて自己の生活をいとなむ正常の手段を獲得するものであるならば、この活動は、職業的活動であるということができる。

さらに職業は、活動が定常のものであること、つまり常例性のあることを要する。反覆継続する活動であつて、臨時の偶然の活動であつてはならない。別言すれば、ある仕事が、ある人にとつて一つの職業であるということは、この人が、この仕事を公然且つ定常的に行うということである。人間の活動がこのようなかたちでなされる場合には、この活動の仕方、いわば仕事の仕方は、ある一つの特殊の様相を呈するのであつて、この特殊の様相をもつた活動の仕方を、その人の職業とよぶのである。かように職業的活動は、活動の定常性によつて特徴づけられ一般には活動をする人が活動のために充当するところの時間の長さによつてこの定常性を確認することができる。しかし職業という常例的活動は、排他的に唯一の活動だけをもつて形成されるとはかぎらない。また職業という活動は、活動する者の主たる活動だけをさすものでもない。労働自由の原則および職業選択自由の原則は、一人が数個の職業をもつことをみとめているといわなければならない。

（二）　職業の法律上の概念　　職業安定法における職業の概念は、理論上の概念よりも、いつそう限定されたものである。そして、さらに同法においては各法条は、それぞれ、それ自体のもつ固有の目的を達成する必要があるので、職業の概念についても法条によつて異る内容があたえられることをみとめなければならない。

(1)　職業安定法二条を基準とする職業の概念と構成要件　　職業安定法二条によれば何人も公共の福祉に反しないかぎり職業を自由に選択することができる。職業選択の自由の原則であるが、職業安定法は、この原則のうえにたつて公共に奉仕する公共職業安定所その他の職業安定機関が各人に、その有する能力に適当する職業に就く機会をあたえることを目的とする。そして国家機関が各人に就労する機会をあたえる職業は、各人の自由に選択する職業であるが、この職業は、選択において公共の福祉に反してはならないと同時に職業それ自体が公共の福祉に反してはならないのである。別言すれば反倫理性又は反社会性のある職業又は職業的活動は、公共の福祉に反する活動であるから、かような職業は、職業安定法の規定する政府の業務の対象になることができないし、職業紹介、労働者募集又は労働者供給の目的ともなりえない。要するに、職業安定機関が反倫理性又は反社会的な職業活動に従事するための職業紹介等を行うことは許されない。さらに職業安定法一九条の紹介の原則が職業安定機関以外の者の行う紹介に準用されることに注目すべきであろう。また、かような公共の福祉に反する職業に対しては同法の規定する法律上の保護の供与が拒否されてもやむをえない。したがつて職業安定法二条のあたえる職業の基準概念は、反倫理的又は反社会的職業活動を除いた活動から成りたつものである。職業安定法は、このような職業の基準概念を定めて積極的に職業の安定をはかろうとする以上、反面においては、後にのべるように同法が、この基準概念に反する職業活動を極力抑制する措置を講ずることは、当然であるといわなければならない。

そして、かような職業が、いかなる活動を意味することになるかについては、職業安定法は、あきらかにはふれていないが、判例【4】によれば、同法のいう職業は、各人の性能に相応する人間の活動であつて共同社会生活のなかで人間の個性を発揮し社会連帯を実現し、通常は報償として受ける利得によつて生計を維持する継続的活動を意味する、とされている。この判例のあたえる職業の概念構成を分析すれば、だいたいつぎのようになる。

職業は、共同生活において人間が個性を発揮し、その性能に応じて他に寄与する活動でなければならない。これには、適材適所の原則を活用することによつて人間の個性と能力とを最高度に発揮するという意味がふくまれる。ただ問題は、この要件を、どのようにして客観的に判断できるか、である。そして職業は、社会連帯を実現する人間活動であり、連帯は、各人が、社会に対して寄与すべき使命を有するから、それぞれ、その分担する義務を遂行すべきであるという意味である。職業的活動とは、かような性質を具有する活動のことである。したがつて職業の概念のなかには一つの倫理則がふくまれる。

職業は、個性を発揮し、かつ社会連帯を実現する活動であるが、この活動は、それによつて報酬あるいは利益をうけ生活を維持することを目的とするのが通例である。職業は、その得た報酬によつて生計を維持する活動であるが、この活動は、継続反覆され定常性のあるものでなければならない。一般に「定業」とか「業とする」とかよばれる活動である。これとともに継続反覆される活動が公共の福祉に反しない人間活動でなければならない。公共の福祉に反する「職業」あるいは職業的活動なるものは、職業安定法によつて保護されるところの「職業」に該当しない。公共の福祉に反する「職業」と称する活動に対しては、職業選択の自由の原則の適用は、当然に制約される。

(2)　紹介等の禁止と職業の概念　　たとえば職業安定法三二条一項は、法定の除外事由がないにかかわらず有料の職業紹介を業として行うことを禁止する。この規定は、有料の職業紹介事業が求職者を職業紹介によつて反社会的又は反倫理的な職業的活動に従業させる危険を排除するためである。また職業安定法六三条二号は、公衆衛生又は公衆道徳に有害な業務に就かせる目的で職業紹介を行うことを禁止する。したがつて、これらは、反倫理的反社会的職業活動を対象とすることにおいて立法上の意義があるから、これらの法条における職業のなかには公共の福祉に反する職業的活動又は業務が当然にふくまれると解さなければならない【5】。

【4】「同法（職業安定法）にいう職業とは如何なるものをいうか同法は別にその意義を定めていないが、社会通念に従へば所論のように人の性能に応ずる個性を共同生活の内に発揮して社会連帯を実現し通常その報償として受ける利得によつて生計を維持する為に継続的意思をもつて行う社会公共の福祉に反しない生活活動と解してよいであろう。であるから公共の職業安定機関はもとより労働大臣が認容する職業安定機関以外の者の行う職業紹介、労働者募集等の対象となる職業はいうまでもなく右にいう職業であつて反倫理性反社会性のないものであるべきである」（東京高判昭二八・一二・二六特三九・二三九）。

【5】売笑婦は、公共の福祉に反するものとして本法第二条にいわゆる職業中には包含されないが、本法三二条で就職あつ旋の目的とされている職業中には法の抑制しようと企図する職業たる売笑婦も含まれる。「……現在直接売笑行為自体を禁止する規定はないものの、公衆道徳上も公衆衛生上も最も好ましくない社会悪の一つとせられている売笑婦は公共の福祉に反するものとして固より職業安定法第二条に所謂職業中に包含せられず国家機関である公共職業安定所に於てかかる職業への就職の斡旋をなすが如きことのないのは固より当然のことであるが国家は更に同法第六十三条第二号を以て他の何人にもかかる種類の職業に就かせる為の紹介事業を許さない旨を明定し、たとえそれが種々の社会的原因から発生し現実に存在するものでも此種就業への就職の紹介を禁止して可及的に右職業に従うものを抑制しようとするものであることを明かにして居り、これによつて之を見ると、職業安定法第六十三条第二号や原審が摘示した前記各法条で就職斡旋の目的とせられている職業中には法の抑制しようと企図する職業たる売笑婦をも包含するものであると解すべきである」（名古屋高判昭二八・五・一九特三三・二九）。

二　職業紹介

一　職業紹介制度と職業紹介の概念

（一）職業紹介制度の意義

職業を紹介する行為は、現在では社会的機能をいとなむから法的制度として成立する可能性をもつている。職業紹介は、労働者として生計をたてなければならない者に対して労働する職場をあつ旋し、これによつて雇用関係の成立する機会をあたえる。そして職業紹介は、労働者に就職の機会をあたえるから直接または間接に失業対策に役立つのであつて、往時の旧職業紹介法が失業救済法であるという批判をうけたのは、同法があまりにも失業救済的機能を発揮したからであり、また職業紹介機関の主たる役割が実際上は、この部面においてのみ果されていたからである。現在の職業安定法は、職業紹介制度と失業救済制度とを区別するが、失業労働者が緊急失業対策事業法によつて雇用されるためには同法の規定(緊急失対一〇)にしたがい公共職業安定所の職業紹介を必要とするほかに、一般的にいつて公共職業安定所の行う職業紹介の大部分は、失業労働者のために行う紹介によつて占められているのが、なお現状のようである。

職業紹介制度の重要な機能の他の一つは、労働者の就職を調整し労働市場を調節することであつて、この機能の重要性は、経験によつてあきらかにされている。しかし反面では職業紹介制度は、この機能をもつている結果として生産増強その他により大量の労働力の需要があるといつた場合に、かような経済的要請を充足する手段として利用される。そして職業安定法一条は、これを当然のこととして予定しているとも解されるが、この場合には職業紹介制度は、社会目的の制度から経済目的の制度に転化する。

また他面では近年にいたつて職業紹介制度の使命は、単に労働者の採用および就職の機会を求人者と求職者とに提示し雇用関係の成立をあつ旋することによつて終了するものではないという見解があらわれている。すなわち労働権の理念を根拠とする職業安定制度のなかに職業紹介制度を組入れるシステムでは、職業紹介制度は、職業紹介によつて成立する雇用関係が確実かつ適正に存続する措置まで考慮して、いわゆる雇用の保障があつて、はじめて本来の目的を達成するという考え方であつて、職業紹介制度を雇用安定方法の部分としてみようとする見解である。別言すれば職業紹介制度にあつては、それが雇用の持続の保障を予定するときに、すなわち雇用の安定をはかることを前提とするときに、制度の意義は、いつそう社会的となり人間的となり、これによつて制度は、その本来の目標にすすむことができる、というのである。

（二）　職業紹介の概念　　職業安定法は、職業紹介については公共職業安定所等の職業安定機関によつて管理される無料の職業紹介を行うことを原則とする建前をとり、それ以外の者が職業紹介を業として行うことを排除する。そして同法は、職業紹介の定義をかかげ（職安五Ⅰ）職業紹介の概念の明確化をこころみ脱法的に職業安定機関以外の者が有料たると無料たるとをとわず職業紹介を業として行い、あるいは有害な業務に労働者を紹介することを防止するにつとめている。

職業安定法五条のあたえる定義によれば、職業紹介は、求人および求職の申込みをうけ求人者と求職者とのあいだに雇用関係の成立することをあつ旋することであるが、求人は、他人の労働力を使用するために労働者をもとめることであり、求職は、自己の労働力を他人に提供し対償をうる目的で職業につこうとすることである。すなわち求人の意思のある者と求職の意思のある者とのあいだにたつて両者を接触させ両者のあいだに雇用関係の成立することを容易にすることが職業紹介であるから、職業安定法のいう職業紹介は、求人者と求職者とのあいだに介在して雇用関係の成立を容易にするすべての行為の一般的指称であるともいえる【6】。そして雇用関係の成立をあつ旋することは、雇用関係の成立の機会を表出させるためであつて、この意味で職業紹介は、就職の機会あるいは労働の機会をあたえる手段にほかならない。職業紹介は、求人求職の申込によつて紹介者が求人者と求職者とのあいだに介入して雇用関係の成立をあつ旋することであるが、判例【7】によれば、あつ旋は、求人者と求職者とのあいだに紹介者が介在したということを実質的内容とするから、雇用関係の成立をあつ旋したという具体的事実があきらかにされれば、当然、求人求職の申込があつたものと解して差支ないとされる。

【6】「職業安定法にいう職業紹介とは、求人および求職の申込を受けて求人者と求職者との間に介在し、両者間における雇用関係の成立のための便宜をはかり、その成立を容易ならしめる行為一般を指称し、必ずしも雇用関係の現場にあつて直接これに関与介入するの要はないと解すべきである」（最決昭三〇・一〇・四　刑集九・一一・二一五〇）。

【7】「職業安定法第五条にいわゆる職業紹介は求人者と求職者との間の雇傭関係の成立をあつ旋することを実質的内容とするものであり、あつ旋行為が利害の相対立する両当事者間の交渉に介入することについて通例両当事者の諒解があり双方の依頼を受けて行われることに鑑みると、右の場合行為者があらかじめ、求人及び求職の申込をうけたことは当然あつ旋行為の前提をなすものであるから、求人者と求職者との間に介入してその間における雇傭関係の成立をあつ旋した具体的事実を判示すれば、それが求人及び求職の申込をうけたことに基くものであることを自ら暗に判示したものと解されるので、行為者が求人者と求職者との間における雇傭関係の成立をあつ旋した事実が具体的に判示されている以上、あらかじめ求人及び求職の申

込をうけて右あっ旋をするに至った旨を判文で特に明示しなくとも、職業紹介をした事実の判示として何等欠けるところはないものということができる」（福岡高判昭二九・一〇・三〇高裁特報一・一〇・四三一）。

(1)　あっ旋　職業紹介は雇用関係の成立を容易にするために求人者と求職者とのあいだをあっ旋することである。そしてあっ旋は、雇用関係が成立するように求人者求職者双方に直接又は間接にはたらきかけて双方の便宜をはかり、できるだけ速かに雇用関係の成立の機会をあたえることに努力することである。求人および求職の申込を受けて求人者と求職者との間に介在して雇用関係のために便宜をはかり、その成立を容易ならしめる行為一般を指称する。したがって職業紹介があるためには雇用関係の成立に関与する事実があれば足り、かならずしもあっ旋者みずからが始めより終りまで直接に求人者と求職者とのあいだに介在して雇用関係の成立に関与することを要せず、あっ旋者が雇用関係の現場にあって雇用関係の成立に直接に関与することも必要ではない【8】。

【8】「職業安定法第五条にいう、雇用関係の成立をあっ旋するとは、求人及び求職の申込を受けて求人者と求職者との間に介在し、両者間の雇用関係成立のための便宜をはかり、その成立を容易ならしめる行為一般を指称し、必らずしも雇用関係成立の現場にあって直接これに関与介入するの要はないものと解するのを相当とする。被告人は、前述のように求人者たるYより従業婦の物色方等の申込を受け、他方求職者たるM、N、Oの三名より従業婦としての就職尽力方の申込を受け、両者間に介在し、同女ら三名をY方に同道し同人に紹介しその結果、その都度直ちに前記のような雇用関係の成立を見るに至ったのであって、被告人の右所為は、雇用関係成立のための便宜をはかり、その成立を容易ならしめたことは明かであり、従って、職業安定法第五条にいう、雇用関係の成立をあっ旋したものに該当し間然するところがないといわなければならない」（福岡高判昭二九・三・一八刑集七・二・一九二）。

職業紹介におけるあっ旋は、求人者と求職者とのあいだに雇用関係の成立を期して行われる。判例【9】によれば、あっ旋は、雇用関係が現実に成立することを要しないが、あっ旋は、雇用関係を成立させる行為であるから、もし第三者が求職者に代つて求人者に応答した結果として雇用関係が成立すれば、第三者の行為は、あっ旋に該当する。

【9】「……職業紹介というのは、職業安定法第五条に規定されているように求人及び求職の申込を受け求人者と求職者との間における雇用関係の成立をあっ旋することをいうわけであるけれども、ここにいうあっ旋とは必らずしも紹介者のあっ旋により求人者と求職者との間に雇用関係が成立することを要するものではない……しかし職業安定法第五条第一項にあっ旋とは、求人者と求職者との間をとりもつて雇用関係を成立させる行為をいうものであるから求職者に代つて求人者に応答しただけでも之に因つて雇用関係を成立させた以上、右に所謂あっ旋であるといわねばならない」（札幌高函館支判昭二五・四・一〇特一四・二〇六〇）。

あっ旋は、求人の申込と求職の申込との双方が所在することを前提とする。申込がなければあっ旋という事実は生じない。求人の申込又は求職の申込は、明示でなされるのが通例であるが、これは要件ではなく、暗黙のあいだでも求人の申込又は求職の申込としてみとめうる意思表示があれば足りる【10】。

【10】「職業安定法第五条第一項は、……（職業紹介の）定義を掲げている。しかし求人及び求職の申込が明示的に為されることを要するとしているのではないから、暗黙の間にあつて申込と認められる意思表示が存するなら、それで十分であるといわなければならない」（東京高判昭三三・六・二四東京高時報九・六・一六三）。

正常の場合には、はじめに求人と求職との双方の申込があつてから、これにもとづいてあっ旋の行われるのが順序であるが、この順序は、要件ではなく、求人の申込と求職の申込とがあれば足り、求人、求職の申込とあつ旋とのあいだにおいて、いずれを先にするかの順位があるわけではない【11】。職業安定法五条は、求人および求職の申込と雇用の成立のためのあつ旋とのあいだに先後の順位を定めるものではない。すなわち、順序として先ず求人と求職との申込がなされ、ついで雇用関係の成立のためにあつ旋がなされるのでなければ同条のいう職業紹介に該当しないと規定するものではない【12】。紹介者が求人又は求職の申込をうけるに先き立つて勧誘し、この勧誘に応じて求人又は求職の申込があり、これをうけたならば、法五条の職業紹介が行われたことになる。勧誘するということは、後述するように特定又は不特定の雇用者の被用者になることを勧めることである。

【11】「職業安定法第五条の規定によれば、同法にいわゆる職業紹介とは求人及び求職の申込を受け求人者と求職者との間における雇傭関係の成立をあつ旋することをいうものであること、したがつて同法にいわゆる職業紹介というがためには求人者からの求人の申込と求職者からの求職の申込の存在することを要することは所論のとおりであるが、右はあらかじめ一方において求職の申込があり、他方において求人の申込があり、その間に介在して雇傭関係の成立をあつ旋する場合に止まらず、紹介者においてまず求職者からの求職の申込を受け、しかる後に自ら適当な雇い入れ先を物色して、その雇い入れ方をしようようし結局そのあつ旋方の依頼を受け、その間に介在して雇傭関係の成立をあつ旋する場合もあり得るのであり、かつ本件赤線区域内における業者の店で働く婦女の募集についてはいわゆる縁故募集又は店頭広告の方法によつていたことは原審受命裁判官の証人Nに対する証人尋問調書により明らかなところであるから、この場合においては右あつ旋方の依頼はすなわち求人者からの求人申込と解すべきところ、本件についてこれをみるに原判決挙示の証拠によれば被告人Iの所為はまさにこの後者の場合に該当し、職業安定法第五条にいわゆる職業紹介に当ることは疑をいれないところであるから、同被告人の本件原判示第二の

(二)の所為を同法第六十三条第二号に違反するものとした原判決には何ら所論のごとき違法の点は存しない」(東京高判昭三一・三七・三・三一高裁特報三・二〇)。

【12】「また同条(職業安定法第五条第一項のこと)は「求人及び求職の申込」と「雇用関係の成立あつ旋」との間に先後の順位を定め、先ず求人及び求職の申込が為されることを要し、然る後に雇用関係の成立をあつ旋するのでなければ、同条の職業紹介に該当しないものとしているのではない。たとえば求人及び求職の申込を受けるに先立つて労働者を雇用しようとする者及び労働者にならうとする者に対し、それぞれ求人又は求職の申込を勧誘し、雇用関係の成立をあつ旋することもあり得るところで、このような勧誘に応じた求人及び求職の申込を受けることができたなら、右あつ旋行為は申込との時間的先後に拘らず職業安定法第五条の職業紹介というを妨げないものと解するのが相当である。なお同条には雇用関係が現実に成立することを要件としていないから、あつ旋行為が雇用関係成立に及ぼした影響力、いいかえればあつ旋と雇用関係との間に因果関係がある事を要しない」(東京高判昭三三・六・二四東京高時報九・六・一六三)。

職業紹介は、求人および求職の申込をうけ求人者と求職者とのあいだにおける雇用関係の成立をあつ旋することをいうのであつて、この要件に該当する限り職業紹介が所在する。職業紹介であるためには求人者又は求職者とのあいだに特別の知り合い関係があるかどうか、また、そのあつ旋について報酬をえたかかどうかは問わない(東京高判昭二七・五・一三刑集三四・三)。

(2)　雇用関係　職業紹介は、雇用関係の成立をあつ旋することであるが、ここにいう雇用関係が民法六二三条の「雇傭」に該当することを要するかが問題となる。これにかんする判例は、比較的多数であつて、その理論構成には若干のニュアンスの差がみられるが、おおむね、職業安定法五条一項の雇用関係が、民法六二三条にいう雇傭よりもひろい概念であると解するところでは共通している。

職業安定法五条一項にいう雇用関係について判例のあたえる標識を大別すれば、一つは、使用従属関係という標識であつて当事者のあいだに純粋の雇用契約にもとづく雇用関係がなくとも使用従属関係がみとめられるかぎり五条の雇用関係があると解する【13】【14】【15】および【16】であり、他の一つは、労働が他人の計算のためになされる場合には五条でいう雇用関係があるとするもの、すなわち他人の計算のためにする労働という標識【17】である。

（イ）　使用従属関係を標識とする判例【13】【14】および【15】は、社会通念という蓋然的標識をもちいて具体的に判断し使用従属関係の存在をみとめ職業安定法五条の雇用関係があるとする。最高裁判所【16】は、使用者と対価関係において労務が提供される場合に職業安定法のいう雇用関係がみとめられると解するもののようである。

判例の多くは、職業安定法のいう「雇用関係とは、純然たる雇用関係でなくとも社会通念上、使用従属の関係とみとめらるる場合を指称するものと解すべきことは、同法の立法上の精神に照し疑を容れないところ……」（前掲、札幌高函館支判昭二五・一〇・四特一四・二〇六）であるといい、あるいは同条の雇用関係は「……純然たる雇傭契約でなくとも社会通念上、一般に使用従属の関係と認められる場合をいうものと解すべき……」であるとする（福岡高判昭二八・一一・三一特二六・二）。

【13】「…………たとえ「部屋を貸し稼ぎ高を折半する」という形式は楼主において部屋、寝具その他を使用させ且つ食事

を給しこれに対し従業婦において対価を支払うべきことを内容とする契約であるとしても、その実質は、従業婦に売淫行為を反復累行させその売淫行為によつて得た対価を楼主と従業婦との両者で折半しているのであつて報酬の額を一定せずその稼ぎ高に応じて支払うべき契約であつてその間一般に使用従属の関係の存することが明らかであるから……契約関係は、職業安定法第五条一項のいわゆる雇用関係にあたるといわねばならない」（福岡高判昭二八・一・三一特二六・二）。

【14】　同趣旨のものとして「被告人と本件婦女との実質的関係を判断すると、婦女は自己のためにのみ売淫を行うものではなく一面被告人の為にも売淫を行うものであり、被告人と婦女との間には支配従属関係が成立していて婦女は被告人に従属して初めて売淫行為を為しうるものであり、婦女は被告人に対し売淫をするという労務を提供し被告人はこの婦女に対し売淫行為を容易に行い収益をあげることのできる機会と設備を確保提供して右労務に対する有形無形の対価を与へているものと解すべきものである。所論は本件婦女と被告人との関係は、婦女は被告人の為に売淫という仕事の完成を目的とするもので請負契約若しくはこれと類似の契約であると主張するけれども雇用契約と請負契約との区別は契約の目的物が労働自体であるか仕事の完成自体であるかによつても生ずることは所論のとおりであるが、その本質的差違は命令服従関係があるかないかによつて決すべきものであるから被告人と本件婦女との関係を所論のように解するのは当らない。又婦女が売淫行為を為すのは一つにその自由意思にまかされていて強制されるものでないこと、婦女は何時でも被告人の店舗から自由に退去することのできるという事実があつても被告人と本件婦女との間に雇用関係が成立するという事実を覆しうるものではない。而して労働者とは労働力の主体である個人で対価を得て又は得ようとして雇用主との間に自己の労働力提供の関係にたつか又は立とうとする一切の者を包含するものであるから、原判決が本件婦女を職業安定法に所謂労働者と認定したのは正当である」（東京高判昭二八・一二・二六特三九・二三九）。

【15】「AはMに前借金を貸与すると同時にMをしてA方に住込ましめ部屋寝具をあてがい食事を提供して売淫をなさしめ花代と称するその収入はAにおいて受取り後日花代の内半分をMの所得とし、このうちから部屋寝具食事代として一定の金額は同人等の負担として計算し更に余剰あるときはこれで逐次前借金を返済して行くということになつていたことが認められるのであつて職業安定法第五条第一項にいわゆる雇用関係に該当する」（大阪高判昭二八・八・二九特二八・五八）。

最高裁判所は、「同法（職業安定法）第五条のいわゆる雇用関係とは必らずしも厳格に民法第六二三条の意義に解すべきものではなく広く社会通念上、労働者が有形無形の経済的利益をえて一定の条件の下に使用者に対し肉体的精神的労務を供給する関係にあれば足りるものと解するのを相当とするから……各業者と本件各婦女との実際の関係を特示のごとく認定しその関係が同法にいわゆる雇用関係に当るものと判断し原判決もこれを是認したのは正当であるといわなければならない」（最判昭二七・一二・一八刑集六・一一・一三一以下、同旨最決昭三五・四・二六刑集一四・六・七六八）といっている。

【16】　最高裁判所は、「職業安定法第五条第一項に所謂雇用関係とは純然たる雇用関係でなくとも社会通念上使用従属の関係と認めらるる場合を指称するものと解すべきことは同法の立法の精神に照らし疑を容れないところである……AがBを自宅に居住させて食事を給し寝具その他を使用させ座席を提供すること自体Bに売笑行為を反覆累行させているものというべきであつて……替価といえども単なる食費又は使用料と見るべきではなくBが売笑行為によつて得た金銭を両名が歩合によつて分割しているのであつて報酬の額を一定せず稼ぎ高に応じて支払うのと何等変りはないのであるから両人の間には自ら使用従属関係があることが明らかで之を所謂雇用関係とみるべきは当然である……」とする原審の所論を支持し「職業安定法第五条第一項の職業紹介は求人及び求職の申込を受け求人者と求職者との間における雇用関係の成立をあつ旋することをいうとあり従つて同法第六三条第二号の該当行為たるには雇用関係の成立が絶対必要条件である。しかるにAとBとの関係をみるとAはBに対して座席、寝具等を使用させ且つ食事を給し之に対してBはその対価を支払うことを約したのであつて雇用関係ではなく勅令第九号の施行以来公娼は廃止され女性の自由は完全に維持され稼動すると否とは全く女性の自由であつてそこにはいささかの命令服従関係は存在せず即ちAとBとの間には全然従属関係を認める余地がない」という上告人の主張を却けて「AとBとの間の契約関係は原判決の説示するとおりであり売笑婦と抱主との関係として職業安定法第五条第一項のいわゆる雇用関係に該当するものと認められる」と判示した（最決昭二七・一二・一八刑集六・一一・一三一九）。

（ロ）　他人の計算のためにする労働という標識による判例では、労働が他人の計算のために行われる場合には、すべて職業安定法五条の雇用関係があると解する。そして判例【17】は、「この雇用関係は、民法第六二三条にいう雇傭契約と同一に解すべきではなく、また雇用関係における使用者の隷属的又は従属的労働者もしくは労働基準法に所謂労働者に限定するいはれはなく、労務が直接に使用者に提供され、その対価が相手方自身の計算において支払われることを要するものでもなく」およそ職業的活動の形態が他人の経済力に多かれ少かれ依存し他人の計算のために労務に服する場合であれば、職業安定法五条にいう雇用関係にあたると解するが妥当であるというのである。【17】は、芸妓と芸妓置屋との関係について職業安定法五条の規定する雇用関係をみとめたもので、その標識は、芸妓が置屋の有形無形の経済力に依存し置屋の営業内容を充実するために労働に服するというところにもとめられている。別言すれば芸妓は、自己の計算のためでなく置屋の計算という他人の計算のために労務に服するということによって芸妓と置屋とのあいだに職業安定法五条の雇用関係がみとめられるのである。

【17】「本件芸妓置屋営業の実体は料理店等芸妓需要者側の注文に応じて自家住込の芸妓の労務を遊客に提供し芸妓をしてその対価を獲得させそのうちから一定の金額を看板料または下宿料の名義で徴収してこれを収益とする営業であり、一方本件芸妓は前記のように置屋に有形無形の経済的な力に依存しこれによつて注文に応じて客席に侍して諸般の労務に服することによつて置屋の右の営業内容を充足することを職業とするものであり、置屋と芸妓との関係は下宿屋と下宿人との関係と全く異るものである…このような芸妓の職業形態は置屋のために労務に服するに外ならないものというべく置屋と芸妓との関係は職業

安定法第五条に所謂雇用関係に該当するものと認めるのが相当である。もとより同法に所謂雇用関係は所論のように必ずしも民法第六二三条にいう雇傭関係と同一に解すべきものではなく、また雇用関係における被用者は隷属的又は従属的労働者もしくは労働基準法に所謂労働者に限定するいわれはなく、労務が直接使用者に提供され、その対価が相手方自身の計算において支払われることを要するものでもない」（東京高判昭二九・八・一六刑集七・七・一一五二）。

二　職業紹介の態様

（一）　職業安定機関の行う職業紹介　職業安定法によれば職業紹介その他の職業安定に関する業務は、例外の場合をのぞき、すべて国の機関である公共職業安定所その他の職業安定機関が専ら担当し管理することになつている。そして同法は、職業安定機関の行う職業紹介の原則をかかげる（職安一九）。しかし職業安定機関による職業紹介だけでなく職業安定機関以外の者の行う職業紹介事業も、この原則に準拠することになつているから（職安三四）、職業安定機関の行う職業紹介の原則は、職業紹介に関する全般的な原則であると解してさしつかえない。

周知のように職業紹介の原則は、労働権の観念にもとづくものであるが、労働権の法律上の肯定および宣示は、完全雇用を保障する具体的な制度を設ける義務を国に負わしめるものではなく、また自己の能力に適する職業に就くこと、つまり職のあたえられることを国家に請求する権利を国民各自に対してみとめるものでもなく、ただ国が国民各自の就労を容易にするために適切な施設又は組織をととのえる責務を国民に負うことを意味するものと解されている。要するに労働権の宣示によつて国家は、国民が、それぞれ能力に適する職業につくことのできるような措置を講ずる政策をとる責務を負うということである。したがつて労働権の理念にもとづく職業紹介制度が職業に就くための新たな雇用の機会を創設するものではなく客観的に所在する労働の機会を各人に適正に按配し供与する制度である（石井＝萩沢・労働法二八頁参照）という意味では、職業紹介は、雇用の機会を造出しない。しかし職業紹介によつて求人者と求職者とが接触し、具体的に前者には雇用する機会が、また後者には雇用される機会があたえられ、別言すれば潜在していた労働の機会が顕出するという意味であるならば、職業紹介は、雇用の機会を造出するといつても差支ない。

職業安定法によれば公共職業安定所は、求人の申込の内容が法令に違反するとき、又は申込の内容となつている賃金、労働時間その他の労働条件が通常の労働条件にくらべて、いちじるしく不適当であるとみとめる場合をのぞいて、いかなる求人の申込も受理しなければならないのであり（職安一六）、また求職の申込の内容が法令に違反する場合をのぞいて、いかなる求職の申込も受理しなければならない（職安一七）。そして求人者は、求人の申込をするにあたつて公共職業安定所に業務の内容および賃金、労働時間等の労働条件を明示することを要し、もし明示していない場合には公共職業安定所は、求人者に対して、最も適当な労働者を得るためには労働条件の明示を必要とすることを説明して条件の明示を要求し、それにもかかわらず求人者が労働条件の明示を拒むときは、申込を受理しないことができる（職安一八、職安則一四）。これとともに公共職業安定所は、おなじく紹介を行うにあたつて求職者に対して、その従事すべき業務の内容および賃金、労働時間などの労働条件を明示しなければならない（職安一八）。

また職業安定法によれば、公共職業安定所は、必要があるとみとめるときは、求人者に対しては、その求人数、労働条件その他の求人条件について指導することができる（職安一六Ⅱ）とともに、求職者に対しては、その就職先、労働条件、就職地その他求職の条件について指導する権限があたえられている（職安一七Ⅱ）。そして、さらに行政庁は、必要があるとみとめるときは、労働者を雇用する者から労働者の雇入又は離職の状況、賃金その他の労働条件等、職業安定に関し必要な報告をさせることができる（職安四八）し、また労働大臣は、労働者の雇入方法を改善し、および労働力を事業に定着させることによつて生産の能率を向上させることについて工場事業場を指導することができる（職安五四）。ところで、かような職業安定行政における職業安定機関の指導監督の権限は、その機関が独自の判断で必要があるとみとめる場合に発動されるのを原則とする建前となつているが、職業安定行政が、同時に公共に奉仕する行政であり、公共職業安定所が、公共に奉仕するために政府の設置する機関（職安八Ⅰ）である以上、公共職業安定所に対して公共の奉仕を根拠として職業安定機関の指導監督の権限の発動を要請することができると解されてくる。判例【18】は、労働組合が労働条件の維持改善のために使用者の措置を職業安定所に申告して指導監督の権限の発動を促すことできる、とする。

この判例【18】は、懲戒解雇に関する仮処分申請事件であるが、職業安定法に関連する部分をあきらかにするために事件の概要を簡単にのべる。被申請人A会社（ソニー株式会社）は、試用期間中の女子従業員二名に対して健康上の障害を理由に退職を勧告したので、同社従業員を組合員とするA社労働組合S支部の執行委員長で同じく同会社の従業員である申請人Bは、組合本部の連絡にもとづいて公共職業安定所を訪れ、右の女子従業員二名が同職業安定所の紹介によつて雇用された関係上、今後の求人紹介も同安定所が行うことがかんがえられるので、右の二名に対する会社の人権蹂躙の事実の調査方を依頼し、安定所が雇用主たるA社の労働条件その他について指導監督する権限を発動することを促した。これに対して被申請A社は、申請人Bの所為が会社の求人業務を妨害する意図で行われ、かつBの行動によつて求人業務に具体的に支障を生じ、したがつてBが同社就業規則の「正当な理由または手続なく著しく会社業務に支障を与えた者」に該当し、またBの公共職業安定所に報告した事実が虚偽の事実であつて真実性を欠き、このためにBによつて会社の信用が毀損され、Bの行為が就業規則の「会社の体面を汚す行為」に該当するという理由でBを懲戒解雇したのである。Bは、この解雇をもつて懲戒権の濫用であり、且つ申請人の正当な組合活動を理由とする解雇であるから不当労働行為にあたるとして解雇の無効を主張したわけである。

これに対して裁判所は、申請人の主張を容れている。職業安定法に関する部分だけについて裁判所のいうところみれば、申請人Bが公共職業安定所に対して善処方を促したのは、女子従業員二名に対する被申請A社の解雇意思を撤廃させるためであつて会社の求人事務を妨害する意図から行つたわけではなく、また善処方を促したのは、申請人Bが職業安定所に虚偽の事実を告げて公共職業安定所の職権外の事項の調査を促すためではない。けだし職業安定所は、職業安定法にもとづいて使用者の雇用条件その他について指導監督する権限を有するからである。したがつて申請人Bが善処方を職業安定所に促したのは、職業安定所の職権内の事項の調査を促すためにほかならない。そして申請人Bが労働組合の幹部としてかような行動をとつたのは、労働組合が労働条件の維持改善をはかることを目的とする以上、労働条件に関する使用者の措置を職業安定所に申告し、職業安定機関の有する指導監督の権限の発動を促すことが当然に組合活動として行いうるということによるというべきである。申請人Bの処為を直ちに被申請A社の従業員募集の業務を妨害する行為にあたるというのは、当をえない。また申請人Bが職業安定所に対して、被申請A社に労働争議が発生したという虚偽の事実を告げて職業安定所をして職業安定法二〇条の定める労働争議に対する不介入の原則にもとづき求職者紹介を停止させ従業員募集業務を妨害しようとはかつたと被申請人は、主張するが、職業安定所が被申請人に対して労働争議の発生の事実にもとづき求職者の紹介を拒否もしくは延期したという事実をみとめるに足る疏明がないから募集業務に支障をきたしたとはいえない。

【18】「被申請人は、右の善処を促すということは職業安定所に虚偽の事実を告げてその職権外の事項について調査を促すものであるから結局被申請人の求人業務を妨害することになると主張するが、公共職業安定所は、労働者を雇傭する者から労務者の雇入れ、又は離職の状況、賃金その他の労働条件等の職業安定に関し必要な報告をさせる権限を有し（職業安定法第四八条）又、労働者の雇入方法の改善その他の指導をすることができ（同法第五四条）、求人者に対してその求人数、労働条件その他求人の条件について指導することができる（同法第一六条第二項）のであるから、労働組合が労働条件の維持改善のため、これに関する使用者の措置について、これを職業安定所に申告し、右の如き権限の発動を促すことは他に不当な意図のな

い限り、当然組合活動として行いうることであると解される。ところが申請人は、その発言内容については真実であると考え、しかも求人妨害の意図を持つていたとは認められないのであるから、右のように職業安定所において善処方を促したとしても、これを直ちに被申請人の従業員募集の業務の妨害行為に当ると断定することはできない。
　被申請人は、申請人が職業紹介係長に対して『争議中である』旨虚偽の事実を告げて、右の被申請人の業務を妨害したと主張する。まず申請人が争議中であると告げたという点については、前掲乙第五一号証の二にこれに副うような文言があるけれども、右証拠を仔細に検討すると、これが争議行為を行つているという趣旨とは解されず、労使間で労働関係をめぐつて主張が対立した状況にあるということを指していると解される。とすれば、前記認定の申請人の言動からしてそのような趣旨のことを述べたことも推認される。ところで職業安定法第二〇条によれば、職業安定所は労働争議に介入しないという趣旨で、同盟罷業又は作業所閉鎖の行われている場合又は労働委員会から特別の通告のあつた場合には、求職者の紹介をしてはならない旨規定しているから、右の申請人の言動により職業安定所の職員がこれに関心を示すことは考えられるけれども、これによつて被申請人に対する求職者の紹介が拒否されるか若しくは延期される虞があるという事実はこれを認めるに足る疏明はない。したがつて申請人の行為が被申請人の従業員募集の業務に支障を与えるものとは解されない」（ソニー懲戒解雇事件、仙台地判昭三八・五・一〇労民集一四・三・三七）。

右の判例【18】は、労働組合が組合活動の一つとして公共職業安定所に対して職業安定法にもとづく指導監督権の発動を促すことができるか、について肯定する解答をあたえ、労働組合は、その目的を達成するために、雇用主に対して職業安定所が有する労働条件に関する指導監督の権限を発動するよう職業安定所に対して要請することができるとした。かように労働組合が、その目的を達成するために公共職業安定所に対して職責の遂行を促す権利のあることをみとめた例として津地方裁判所判決【19】をあげることができる。事件は、周知のように自由労働組合が失業対策事業の事業主体である地方公共団体および就労のあっ旋機関である公共職業安定所に対して団体交渉権があるか否かに関するものであって、津地方裁判所判決は、多数説である最高裁判所の判決【20】と異なり自由労働組合に団体交渉権をみとめたものとして注目されたが（前掲、石井＝萩沢・労働法三〇六頁参照）、団体交渉権をみとめる津地方裁判所の判決が公共職業安定所の権限の発動について上述の懲戒解雇事件と系譜をほぼ同じくしているところから、同判決の、その部分についての判旨を簡単にのべてみる。【19】にのべてあるように緊急失業対策法の定めるところによると、公共職業安定所長は、失業対策事業の就労人員、稼働状況、支払賃金などの労務に関する常況を把握し、都道府県を通じて労働大臣に報告しなければならない（緊失対五、同則二）ほかに、職業安定法一四条にもとづいて失業対策事業および公共事業の主体などに対して管内の失業状勢を通報して失業者の吸収にあたっての便宜を供与するとともに相互に連絡を密にし、場合によっては、失業対策事業の事業主をして実際に行う具体的な事業について計画を主務大臣に提出させ労働大臣の決定を導き出す職責がある。また職業安定法一九条によって公共職業安定所長は、一般的に求職者に対して職業紹介、求人の開拓などに努力すべき義務を負うのである。そして失業対策事業については、いっそう積極的な求人開拓を行うことが公共職業安定所長には要請されているというべきであり、他方、公共職業安定所は、事業主体が行う雇入を拒否することができるし、労働時間その他の違反に対して実態精査を行い、事業主体の恣意にまかせないように監査指導することができる。さらに右の権限にぞくしないが権限内の事項と密接に関連性をもつ事項については、公共職業安定所長は、自ら進んで又は要求をうけて上級行政官庁に対して職権の発動を促すことができる。したがつて公共職業安定所長は、都道府県又は労働大臣に対して失業対策事業の就労者の就労日数、賃金等の労働条件に関する労働大臣の権限の発動をもとめることができるわけで、この意味で公共職業安定所長は、制限された形態であるが労働条件に関する権限があり、自由労働組合は、それが労働組合法上の労働組合であるとするならば、労働条件の維持改善をはかることを目的とする団体として、公共職業安定所長に対して失業対策事業についての労働条件の維持改善のために職業安定所長が権限を発動し職責を遂行することを促すことができる。そして、かような善処方の促すための交渉を津地方裁判所の判決は、組合の行う団体交渉であると解したのである（久保「労使間の交渉手続」三六―七頁参照）。これに対して、一言したように多数の判例は、否定的態度をとるが、それらは、労働組合と職業安定所とのあいだの右の交渉が労働法上の団体交渉に該当せず、それとして保護されないというのであつて、労働組合が組合の活動として公共職業安定所に対して権限の発動を促す交渉とか協議とかを行うことを否定するのではなく、発動を促し職責の遂行をもとめる交渉等は、許さるべきであるということを言外にみとめている（菊池＝深山「団体交渉の態容」総合判例労働法(9)七七頁参照）。

【19】「……職業安定所長は、失対事業の適正な運用を図るため都道府県に又はこれを経由して労働大臣に対して、失対就労者の就労日数、賃金等労働条件等に関する労働大臣の職権事項についてその発動を求めることができるというべきである。これ自己の権限に属する事項と密接不可分の関連性をもつからである、従つて、公共職業安定所長に、全く右の労働条件に関する権限がないと断じ去るべきでなく、制限された形態においてではあるがこれを肯定すべきものと解する。故に自由労働組合

は、公共職業安定所長に対してその権限内の事項についてはもとより、失対事業にかかる労働条件の維持改善につきその職責の遂行を促がし、更に労働大臣に対して指向する職権の発動を求めるために交渉することができるとされなければならない。これが、とりもなおさず、同組合の団体交渉権である。即ち右のように両者の関係を経済的、法律的な実質上から究めると、国及び地方公共団体の労働行政機関は、失対就労者と形式的には雇傭関係を結ばないけれども、失対就労者に対して通常使用者が被用者に対して有する稼働日数、賃金等の重要な労働条件の決定に関する権限の全部ないし一部を有し、失対就労者はその下に立ち、両者間に実質上集団的継続的対向的労働関係が成立し、更に出先機関である公共職業安定所長は、失対就労者に対して右関係から生ずる労働条件の決定者たる地位即ち、使用者と同視ないしこれに準ずべき地位に失対就労者は、これ服せざるを得ない地位に立つ。故に、自由労働組合の公共職業安定所長に対する就労紹介停止処分及び労働条件に関する交渉は、これを正当な団体交渉と認むべきである」（津地判昭三一・三・二時報八〇号二三頁）。

【20】「本件全日本自由労働組合高萩分会と日立公共職業安定所高萩分室との間における就労斡旋に際し職場の配置転換及び全員就労についての交渉のごときものは、使用者対勤労者というような関係に立つものでないから、憲法第二八条の保障する団体交渉権の行使にあたるものといえないことは、当裁判所の判例の趣旨とするところである」（最判昭三三・二・二七刑集一二・二・三三二）。

職業紹介の方式には、公共職業安定所が求職者との面接によつて適当な求人者をその場で紹介するところの即時紹介と、公共職業安定所が求職者との面接において、その場で紹介を行わず、後日、求職者に再出頭を求めて紹介を行うところの非即時紹介または選抜紹介とに大別される。いずれの場合にあつても公共職業安定所は、申込を受理した求職者に対しては、その能力に適合する職業を紹介し、申込を受理した求人者に対しては、その雇用条件に適合する求職者を紹介するように努めなければならない（職安一九）。しかし、このことは、公共職業安定所が、いつたん求人の申込又は求職の申込を受理した後に紹介を拒否し又は停止することを原則として妨げるものではない。そして紹介の拒否又は停止は、つねに求職者の労働権の侵害になるとはいえない。

公共職業安定所が個々の求人者と求職者とを最良の状態で結合させるために即時紹介によるか選抜紹介によるか、あるいは両者を併用するかは、求人の申込を受理するつど求人の内容ならびに求職者の傾向などに即して決定すべきであるにしても、公共職業安定所が、これについては、専ら判断できることは、いうまでもない。さらに一般的にいえば職業安定法の建前では原則として公共職業安定所の行う求人および求職の紹介は、求人者と求職者とに対して単に雇用関係の成立上の便宜を供することであり、求人者も紹介された求職者を雇用する義務はなく、求職者も、また、紹介された求人者に雇用される義務がないから、この意味の論理的帰結として反面において公共職業安定所は、求職者を求人者に紹介すべきか、もし紹介するとするならば、いかなる求職者を紹介するか、については、できるだけ適材適所の原則によるにしても、終局においては自由裁量で決定することができるといえるであろう。しかし、この職業紹介について公共職業安定所の行う自由裁量は、職業安定法の建前にかかわらず、現在、職業安定制度を構成する他の法律による場合とともに、制限される傾向にあることを注目すべきであろう。

緊急失業対策法によれば、公共職業安定所が就労適格の認定をうけた労働者を対策事業主体に紹介したときは、事業主体は、同法の目的からいつて格別の事由のないかぎり労働者を吸収する義務すなわち雇入れる義務がある（緊失対一三）が、労働者は、適格の認定をうけた者であつても職業安定所の紹介がなければ就労ができない（緊失対一〇）。ところで判例【21】によれば労働者が日雇労働者として就労している場合には、事実上は、その失業対策事業が継続するかぎり常傭労務者とすこしも異ることなく同一の雇用関係が反覆継続し労務者の就労が安定しているわけであるが、法律上の形式からいえば、公共職業安定所が日々行う職業紹介によつて、そのつど雇入れられる雇用関係である。したがつて労務者が公共職業安定所の紹介停止処分をうけるときは、雇用関係は、一日をもつて終了することになる。かような行政処分は、労働者の利害関係に影響するところが大いからきわめて慎重でなければならない。のみならず緊急失業対策法は、失業救済の重要性にかんがみ公共職業安定所を失業対策機関の一つとして規定し、この国家機関に対して、失業救済のためにできるだけ多数の失業者を吸収する方法を講じ且つ就労適格者の公平な就労のあつ旋をはかる義務を課している。したがつて緊急失業対策法は、事業主体に対して職業紹介による求職者を雇用する、ある程度の義務を課するとともに、公共職業安定所の自由裁量権にも制限をくわえていると解すべきである、とする。

もとより緊急失業対策法による職業紹介は、判例のいうように、職業安定法による一般の職業紹介とは異る特別の職業紹介に関するものであるから、この職業紹介を職業安定法による職業紹介の場合にあてはめることはできない。しかし職業安定法の定める職業紹介にあつても日雇労働者の職業紹介については行政上の通達があつて格別の配慮が要請され、他の求職者とは異る保護がくわえられている。もし職業安定制度が雇用の安定による職業の定着を目標の一つとして運営されなければならないとするならば、職業紹介における公共職業安定所の自由裁量が、緊急失業対策法による場合であると否とをとわず、なんらかのかたちで、しだいに制約される傾向をとることになるであろう。

【21】「然らば本件職業紹介停止処分はいわゆる行政庁の処分と観るべく右処分が違法になされたものとして原告等よりこれが取消を裁判所に訴求することは正当であり本訴が不適法であるとの被告の主張は理由がない。よってすすんで被告のなした本件紹介停止処分の当否につき判断する。被告は、先ず公共職業安定所がなす職業紹介は求職者に対する便宜の供与であって求職者に何らの義務を課するものでなく求職者に如何なる職業を紹介するか又多数の求職者中より如何なる者を選択するか紹介するかは全くその自由裁量に委ねられているから本件紹介停止処分には違法の問題は、生じないと主張するが日雇労務者中特に失業対策事業就労適格者と認定された者に対する紹介斡旋は、緊急失業対策法の目的からして右適格者の現在数と失業対策事業及び公共事業の分量と睨み合せて適格者を公平に斡旋すべきであるから一般の職業紹介と異って広範囲の自由裁量に委ねられているものではなく本件の如き処分は格段の事由のない限りは自由裁量の範囲を逸脱しているものと解すべくこの点被告の主張は理由がない」（津地判昭二九・七・一四労民集五・四・四二七）。

(二)　職業安定機関以外の者の行う職業紹介事業　国家機関である職業安定機関以外の者が行う職業紹介事業には、有料職業紹介事業と無料職業紹介事業とがある。有料職業紹介事業は、有料の職業紹介を業として行うことであり、無料紹介事業は、職業紹介について、いかなる名義でも手数料又は報酬をうけないで、業として行うことである。

(1)　有料職業紹介事業

(イ)　実費職業紹介と営利職業紹介　職業安定法によれば、有料職業紹介には二つの種類がある。その一つは、実費職業紹介であり、他の一つは、営利職業紹介である。実費職業紹介は、営利を目的としないで行う職業紹介であつて、職業紹介に関して実費としての入会金、定期的預金、手数料その他の料金を徴収する、すなわち求人また求職の依頼人から実費だけをうけるものである（職安五Ⅱ前）。料金が実費に限定され、職業紹介が利益をうることを、つまり営利を目的としないから実費職業紹介は、営利職業紹介に対して非営利職業紹介ともよばれる。しかし営利的な職業紹介ではないにしても実費職業紹介は、手数料その他の料金等を請求するから無料職業紹介とは区別される。営利職業紹介は、営利を目的とする職業紹介で紹介のために要する実費のほかに紹介料、謝礼その他の名義で料金を請求し紹介行為から利益を収めるものをいうのである。そして実費職業紹介および営利職業紹介は、いずれも有料であるから有料の職業紹介であり、これを反覆継続する意思で行えば有料職業紹介事業にあたる【22】。

【22】「職業安定法三二条一項にいわゆる「有料の職業紹介」とは同五条三項の規定するところによれば、営利を目的としないで行う職業紹介であつて、職業紹介に関して、実費としての入会金、定期的掛金、手数料その他の料金を徴収するもの、即ち実費職業紹介および営利を目的として行う職業紹介、即ち営利職業紹介をいうものであることが明らかである。その第一審判決判示第二の(二)の各所為については、被告人が現実に手数料を受取つたことは認定されないけれども、挙示の証拠によれば、それが営利の目的に出たものであることが明らかであるから、これを以て有料の職業紹介事業をしたものということができ、所論の如き違法はない」（最決昭三五・四・二六・(三)小刑集一四・六・七六八）。

（ロ）　有料職業紹介事業の禁止　　職業安定法は、有料職業紹介事業を原則として禁止し、美術、音楽、演芸その他特別の技術を必要とする職業に従事する者の職業をあっ旋することを目的とする職業紹介事業についてだけ有料職業紹介事業をみとめる。この場合に法定の除外事由にあたる職業の有料の紹介事業を行おうとする者は、実費紹介事業であると営利紹介事業であるとをとわず、すべて労働大臣の許可をうけなければならない。有料職業紹介事業は、事業を行う者の専業であることを要しない【23】。そして予め実費又は手数料をうける旨の合意のもとで、若くは、かような報償をうける意図のもとに、継続的意思で反覆して職業紹介を行えば、有料の職業紹介事業を行ったことになる。また営利職業紹介事業であるためには手数料その他の利益を現実に収めることができたか否かとは関係なく、たとえ損失であっても、紹介料その他の利益を被紹介者に対して請求できる状態にあれば足りる【24】。実費職業紹介事業の場合についても同様に解して差支ない。

【23】「長期にわたって継続反覆して他人に職業を紹介し、これに関してその都度雇主から実費及謝礼名儀で料金を徴収していたことを認めるに十分であるから……それが営利を目的とする専業でなかったとしても所謂有料の職業紹介事業を行ったものと認定し法(職業安定法)第六十四条第一号を適用した原判決には……事実の誤認又は法の適用に誤あるものということができない」(東京高判昭二八・一一・三一特二八・三〇)。

【24】「凡そ営利の目的を以てある事業を営む以上偶々その間何等かの事由で利益を得ず却って損失に帰する場合があってもそれが営利の目的を以てなされる以上営利事業であることに変りはないというべく、そして有料職業紹介事業のほかに特に社会奉仕的に無料職業紹介事業を併せて営んでいれば格別そうでない場合には併営したことの立証がない以上職業安定法第三二条の除外事由がないにもかかわらず職業紹介事業を営利目的で営みたまたま紹介料をえられなかった場合に相当する。したがってこの場合には有料職業紹介を営んだものと解すべきである。その紹介料をえられなかった部分だけを区別して所謂無料

職業紹介事業を営んだものとするのは営利事業なりや否やを唯その利得があつたか否かの結果からのみ判断せんとするもので容認し難い見解といわなければならない」（名古屋高判昭二六・二・二八特二七・四〇）。

なお職業安定法（三二I但）が有料職業紹介事業の行うことをみとめる職業（則二四）について実費職業紹介事業と営利職業紹介事業との割合を参考までにあげる。労働省の調査（労働時報一七巻一二号二八頁）によれば昭和三九年一〇月末現在で有料職業紹介事業所数は、全国で一、三八八であつて、そのうち実費職業紹介事業所数は、わずかに一六であり、これに対して営利職業紹介事業所数は、一、三七二となつている。したがつて法定の除外事由に該当する有料職業紹介事業は、ほとんどが営利職業紹介事業であるといつても過言ではない。職業別でみると看護婦・家政婦の紹介事業所が六六七（営利六六二、実費五）で最高、ついで家政婦専門の職業紹介事業所が二一七（営利二一一、実費六）、調理士の紹介事業所が一七七（営利一七六、実費一）である。つぎに演芸家等の紹介事業所が一二二、マネキンの紹介事業所が九三、理容師・美容師の紹介事業所が四九、配膳人の紹介事業所が三一、その他の職業の紹介事業所が合せて二八であり、これら演芸家等以下の紹介事業所は、すべて営利職業紹介事業所であつて、実費職業紹介事業所は、一つもない。これに反して映画演劇関係技術者の職業紹介事業所一と薬剤師の紹介事業所三とがあるが、いずれも実費職業紹介事業所であつて営利職業紹介事業所ではない。

有料職業紹介事業を禁止する職業安定法三二条一項の規定が憲法一三条および二二条に違反しないとする判例には、さきにふれたが、禁止の趣旨については、一つの見解によれば、職業安定法の目的は、憲法の定めている基本的人権の尊重という趣旨に則り個人の自由意思を尊重しつつ個人の有する能力に適当な職業に就く機会を与えて職業の安定を図るほかに国家にとつて重要な工業その他の産業に必要な労働力の充足を図ることであつて、とくに、この後の目的を達成する方法の一つとして政府機関が職業紹介事業を行い法三二条一項で職業安定機関以外の者が実費で又は営利の目的で職業紹介事業を行うことを原則として禁止し、例外として許す場合にも厳格な制限を設けている。これは、現在の我が国としては職業安定法の目的とする個人の職業安定だけでなく、産業界における労働力の充足ということが緊要な事項であるにかかわらず在来の職業事情あるいは労働事情の実際からみて、もし有料の職業紹介事業の自由な経営をみとめるならば産業界の労働力の充足の実現が妨げられるからである。それ故に公共の福祉のために職業安定法三二条一項で有料職業紹介事業を禁止または制限する、と説いている。

しかるに他の見解では、職業安定法は、戦時中の統制法規と異り、産業上の労働力の充足のために、その需要供給の調整を図ることだけを目的とするのではなく、各人に能力に応じて妥当な条件で適当な職に就く機会をあたえ職業の安定を図ることを、いつそう重要な目的とする。そして従来行われた自由な有料のとくに営利目的の職業紹介事業が雇用の条件などを無視した契約を結局において締結させることになつたり、求人者、求職者から過大な手数料、報酬等をうるなど、労働者の利益をいちじるしく害し弊害が大きいのにかんがみ、職業安定法は、有料職業紹介事業を公共の福祉の立場から禁止することにした、というのである。この見解は、最高裁判所のそれであつて、後にのべる職業安定法六三条二号の規定も同一の論拠にたつて憲法二二条に違反しないとしている。おもうに前者の見解は、産業労働力の充足のために職業安定法が有料職業紹介事業を制限禁止するだけでなく同三三条で私営の無料職業紹介事業についても許可主義によつて制限し、ひろく職業紹介事業を国家機関である職業安定機関をして独占的に行わせるとみる立場であるが、産業労働力の充足とか需給調整とかは、私営職業紹介事業の制限禁止という消極的な方法によるよりも、現在では適正な雇用政策にもとづいて職業安定機関の敏速な活動を期するといつた積極的な手段に依存する度合がはるかに大きい。したがつて有料職業紹介事業の禁止制限の根拠は、法六三条二号および中間搾取排除の労働基準法六条からみて、且つ有料職業紹介事業の実態からいつて後者の見解のほうが適切のようにおもわれる。

(2)　無料職業紹介事業　　職業安定法によれば、職業紹介事業は、政府その他公共職業安定所等の職業安定機関が無料で行うことを原則とする。しかし職業安定機関以外の者も一定の制限のもとに無料職業紹介事業を行うことができる（職安三三）。いずれにせよ無料職業紹介事業は、いかなる利益も目的としないところで有料職業紹介事業と区別されるだけでなく、紹介事業が、経営者みずからの負担で行われるなど、純然たる公益的又は社会奉仕的なものであつて、有料職業紹介事業とくに営利職業紹介事業とは、その性格が根本から異つている。

職業安定機関以外の者の行う無料職業紹介事業は、学校教育施設の行う無料職業紹介事業（職安三三の二）と学校教育施設以外の者の行う無料職業紹介事業とにわけられる。そして学校教育施設の行う無料職業紹介事業は、さらに学校教育法一条の規定による学校が行う紹介事業と同条の規定によらないで同法八三条の規定するところの学校教育に類する教育をする施設、いわゆる各種学校の行う紹介事業とにわけることができる。

学校教育法一条の規定による学校すなわち大学、高等学校、高等専門学校、中学校その他の学校は、労働大臣に届け出ることによつて、その学校の学生若しくは生徒又は卒業生について無料職業紹介事業を行うことができる(職安三三・三三の二)。これに反して各種学校が無料職業紹介事業を行う場合には労働大臣の許可をうけることを要する。その取扱範囲の許可方針によれば、各種学校の行う紹介事業の対象は、当該学校の卒業者に限定、在学生および一年未満の在学で卒業する卒業生について紹介事業を行うことを認めず、また紹介事業の対象となりうる卒業生であつても学校が職業紹介を行うことのできる期間は、その卒業者が、その学校を卒業してから三箇月以内に限り、さらに学校は、職業紹介事業を行うことを学校要覧、案内書その他の方法などをもちいて生徒募集の手段に利用してはならない(昭和二九・五・三一・職発三三号都道府県知事宛通達参照)。

今日では学校教育法一条の規定する学校は、おおむね職業紹介事業を行い、さらに公共職業安定所の委託による協力機関(職安二五以下)として職業安定制度のなかで重要な地位を占めるようになつたが、それでも、なお、わが国の産業のなかの中小企業経営における従業員の募集には、縁故募集という旧来の慣行的方法が一般にひろくもちいられ、企業経営規模がやや拡大するに順じて公共職業安定所を利用する割合が大きくなるというのが現状である。しかし、いわゆる新規学校卒業者の集団就職の場合には公共職業安定所の役割は、重要であり、又近年来、大企業経営だけでなく中小企業経営においても全般を通じて縁故募集が減退し公共職業安定所をとおして従業員を、あるいは学校の行う紹介をとおして新規学校卒業者を雇用する方法をとることが増加する傾向にあるといわれている。

学校教育法一条の規定する学校以外の者が無料職業紹介事業を行う場合には、すべて労働大臣の許可をうけなければならない（職安三三Ⅰ）。そして労働大臣が許可をするについては労働組合法による労働組合が無料職業紹介事業を行う場合を除き中央職業安定審議会に諮問しなければならない（職安三三Ⅱ）。

三　労働者の募集

一　労働者の募集の概念

労働者の募集とは、労働者を雇用しようとする者が自ら又は他人をして労働者となろうとする者に対して、その被用者となることを勧誘することである（職安五Ⅴ）。

労働者を雇用しようとする者は、雇用関係が成立すれば、この労働者の使用者となるところの者であるが、ここにいう労働者は、だいたい労働基準法九条のあたえる定義の意味に解され、一定の拘束条件のもとで労働を提供する義務を負い対価をうける者すべてのことであつて、雇用とは、かような労働者を使用する関係である。しかし使用する者と被用者になろうとする者とのあいだに成立する契約は、かならずしも雇傭契約であることを要せず名称の如何をとわず使用される関係を創設するものであれば足りる。出演契約の当事者の一方である出演芸能者と他の一方である興業主との関係も職業安定法五条五項のいう雇用関係にあたる（昭和二四・七・七基収二二一四号参照）。したがって職業安定制度の体系の一つである職業訓練法のいう雇用関係とは区別される。職業訓練法のいう労働者は、現に事業主に雇用されている労働者いわゆる雇用労働者であり、同法の事業主と労働者とのあいだの雇用関係は、民法六二三条の雇傭関係および雇傭に類似する公法上の一定の勤務関係が該当する。

労働者になろうとする者とは、労働者として雇用される可能性のある者で使用関係の成立するにいたっていない者をいう。雇用される可能性があるか否かは、募集を行う者が主観的に判断しただけで足り、かような判断をしたことは、募集を行う者の行動その他から推認ができればよい。募集を行う者の勧誘をうける相手方が、その者を労働者として雇用する者に、使用される意思すなわち被用者となる意思をもつか否かはとわない。

労働者の募集は、労働者になろうとする者に対して雇用する者の被用者となることを勧誘することであるが、被用者となるように勧誘するということは、被用者となる意思のある者つまり就職の意思のある者に対して被用者となることを勧める場合は、もちろん、就職する意思のない者に対して被用者となるように勧める場合も、また就職先の定まつている者に対して特定の雇用者の被用者となるように就職先の変更を勧める場合もふくまれる。一般に労働者の募集を「職業を周旋する」ともいうことがある。しかし周旋は、法律上の概念としては明確ではない。判例【25】によれば周旋は、むしろ職業の紹介に近い概念であるという。したがって職業の周旋は、職業に就くことを勧誘する行為と職業紹介というあっ旋行為とをふくむところの、職業の勧誘よりも広い概念と解して差支なかろう。

【25】「勧誘というのは就職意思のない者に対して特定の雇用者の被用者となることを勧めるのは勿論、就職意思は一応あるが、就職先の定まつていない者に対して特定の雇用者の被用者となることをすすめることも包含するものと認める。しかし所謂職業の周旋という場合には同法（職業安定法）は、周旋の定義を別に定めていないが、その意義は必らずしも職業紹介のみをさすものとは限らないと解される。即ち周旋という場合には求人者と求職者とを結びつけるにすぎない職業紹介の場合と特定の求人者の依頼ある場合には、これに基いて求職者に対し、その求人者の被用者となることを勧誘して就職のあつ旋をする場合及び広く求職者を求めて勧誘する場合とがあるものと考へられるが、このように求人者の依頼によつて周旋者が勧誘行為をする以上は、周旋というも職業紹介ではなく、労働者の募集の範疇に属するものと認むべきものである。従つて周旋の依頼という場合には単に職業紹介を依頼する求人の申込である場合と勧誘を伴う募集を委託する場合の二た通りがあるものと解せられる。尤も求職者から求人者の業態を尋ねられた場合に、その内容を単に説明する程度ならば紹介の本質上当然のことと認められるが、これは勧誘に亘らないものでなければならない。この時求人者から予め依頼のあつたことに基き紹介者が求職者に対し求人者の被用者になることを勧誘したならば、この時は最早単なる求人の申込による紹介ではなく雇用者の募集と認めるべきものである」（東京高判昭二八・一二・二六特三九・二三九）。

二　労働者の募集の態様

職業安定法は、労働者の募集を文書による募集と文書以外の方法による募集とに区別し、前者については、法三五条が、「……文書の提出若しくは頒布による労働者の募集は、自由にこれを行うことができる」と規定するように、自由主義を原則とし、後者については、これと反対に許可主義を採用する。これは、文書による募集(職安三五)の場合には、すくなくとも応募の段階では、応募者は、他人からの直接の強制その他によつて自己の自由意思を害される虞が少く自由に職業を選ぶことができると、いちおうみとめて差支ないからである。もつとも文書による労働者の募集でも応募した労働者が募集主の事業所に通勤できる地域以外の地域から労働者を募集する場合には募集内容その他を公共職業安定所長に通報しなければならない。それ以外の場合には、自由に募集して差支えない。おなじく後述する直接募集においても募集地域が応募者が採用されて後に通常、通勤できる地域であるならば、許可をうけることを要せず、募集の自由がみとめられている(職安三六但)。ここでは職業安定の基本原理である職業選択の自由の原則が表面にあらわれ、そして、この労働者募集の自由の考え方は、これと軌を一にする職業紹介における紹介の自由と対を成すものといつてもよい。職業紹介は、無料であつても業として行う場合には許可をうけることを要するが、業としない場合には、おなじく自由である。そして職業紹介が事業として行われるためには、すでに一言したように、不特定の多数回にわたつて継続反覆的に紹介を行う意思が紹介者にあることが必要であるから、かりに数回にわたつて紹介が繰返されても、その紹介は、そのときどきに、その時点において単一のものとして行われたことが明らかであれば、紹介事業を行つたことにはならない。たとえば数回にわたつて自己の才覚で求人者と求職者との間の連絡をはかり雇用関係を成立させれば、職業紹介を行つたことにはなるが、この職業紹介は各回ごとに求人者求職者の要請に応じ紹介者が個人的な近隣関係にもとづき報酬も受けることなく好意的に行い且つ今後とも職業紹介を継続反覆して行う意思が紹介者にないことが明らかであれば、この職業紹介は、職業選択の自由の原則に準拠する自由な紹介であつて法三三条の適用の対象にはならない（宇都宮地判昭二四・一〇・二八刑裁資五五・四八七）。これはまさに労働者の募集の自由と同一の思想にたつものである。

労働者の募集が文書による以外の方法による場合すなわち直接募集（職安三六）および委託募集（職安三七）による場合には、直接募集では、応募採用される労働者の通勤できる地域以外の地域で行われる場合につき、委託募集では、募集地域の如何にかかわらずすべての場合につき、募集を行う者は、労働大臣の許可を受けなければならない。過去の経験からみて、この種の労働者の募集は、数多くの弊害をともなうからである（大正一三年に労働者募集取締令の制定をみた）。直接募集は、応募する労働者を雇用しようとする者すなわち募集主が自ら労働者を募集するか、すなわち自ら募集従事者となつて募集を行うか、又は自己の被用者を募集従事者として労働者を募集させるかの方法によるもので、募集に従事する被用者は、行政指導によれば、募集主と民法六二三条の雇用関係にあることを要し、さらに募集主が諸労働法規の適用事業の使用者であれば、同じく諸労働法規の保護をうける労働者であることを要するとされている。直接募集では、募集上の便宜をはかり募集従事者登録制度が設けられ、また現在、学校在学中の者及び新規学校卒業者は、直接募集の重要な対象となつている。委託募集は、募集主が自己の被用者以外の者に自己の雇用しようとする労働者の募集を委託して行わせるものであるが、委託をうけて募集を募集主のために行う者すなわち委託募集従事者は、募集主とのあいだに被用関係が成立していないだけでなく、通例、募集主から手数料、報償金等を受け利益をえて募集を行い且つ専ら募集を業としているのが一般である。したがつて委託募集では、事実上、ある意味で一種の労働者募集事業とでもいうべきものが行われるといえる。もつとも労働者募集事業といつても労働者の募集主は、応募する労働者を雇用する雇用主であるから、正確にいえば委託募集従事者の行う募集事業すなわち募集従事者が数多の募集主から継続的に募集の委託をうけ継続反覆する意思で行う募集である。労働者の募集は、実際上は委託募集が業として行われる場合などでは、職業紹介との区別が困難な場合も少くないのであるが、観念上は労働者募集と職業紹介とは、明らかに区別される。前者が、特定の募集主の先ず存在することを前提として、これによつて募集従事者が生じ募集が行われるのに対して、後者は、紹介者又は紹介業者が不特定多数の求人者求職者に先き立つて存在し求人求職の申込によつて行われる。

かくて委託募集では、委託をうけた募集従事者の募集は、他人の就業に業として介入し利益をうるところの、労働基準法六条の排除する中間搾取の場合に該当する可能性が大きい。したがつて、このような募集方法は、速かに絶滅させるのがのぞましいのであるが、現在、なお緊急に大量の労働者を募集する必要のある場合には、労働者を雇用しようとする者は、委託募集によらざるをえないのが実状である。そこで職業安定法は、一方では委託募集を行う場合には、募集主は、労働大臣の許可をうけなければならないと規定する(職安三七Ⅰ)とともに、他方では募集主は、募集従事者に与へる報償金についても労働大臣の許可をうけなければならないと規定する(職安三七Ⅱ)。

また職業安定法によれば、労働者の募集は、労働者を雇用しようとする者が、労働しようとする者に対して自己の被用者となることを勧誘することであるから、募集の主体は募集に応ずる労働者を自ら雇用する者であつて、募集主とはこの意味であり、法三六条および三七条の規定する許可申請は、この意味の募集主に課せられた義務である。判例【26】は、募集主が自己の被用者以外の者に委託して自己の雇用しようとする労働者を募集させると同時に、この募集主が他人から労働者の募集の依頼を受けて、その他人の雇用しようとする労働者を自己の被用者以外の者に委託して募集させた場合に、この二つの募集は区別されるべきであつて、法三七条一項は前者についてのみ適用される、といつている。

また労働者の募集において職業安定法三五条・三六条・三七条等でいう「労働者を雇用しようとする者」の範囲すなわち募集主の業務の範囲のなかに公衆衛生上又は公衆道徳上有害な業務が入らないことは、いうまでもない。けだし右の業務に就かせるために労働者の募集を行うことは、法六三条二号によつて一切禁止するところとなつているからである。判例【27】は、委託募集の場合について、この点を判示するものであるが、文書による募集にも直接募集にもあてはまることは、明かである。

【26】　「所論にかんがみ本件訴訟記録並に原裁判所及び当裁判所が取り調べた証拠を精査すれば、……A、B及びCは、被告人が雇用するために、原審相被告人Dをしてこれを募集させたものではなく、AについてはGが、B及びCの両名については

Hが、それぞれ雇用するため、被告人にその募集を依頼し、被告人は右依頼により、原審相被告人Dをしてこれを募集させたものであり、且つ現にAはG方に、B及びCの両名はいずれもH方にそれぞれ雇用されたことが明かである。ところで、原判決が被告人の右三名に対する原判示第一の㈠の各所為に対して適用した職業安定法第三十七条第一項、第六十四条第三号は、労働者を雇用しようとする者が、労働大臣の許可を受けないで、その被用者以外の者をして、自己が雇用する労働者の募集を行わせた場合に適用せらるべきものと解されるが、原判決は、その判文に照らして明かなように自己が雇用する労働者を募集させる場合であると、他人から依頼を受けて、その他人が雇用する労働者を募集させる場合であるとを問わず、自己の被用者以外の者にこれを募集させた場合にはすべて右法令の適用があるものと誤解して被告人の前記三名に対する原判示第一の㈠の各所為に対して右法条を適用したものと認められ、且つこの法令の適用の誤は判決に影響を及ぼすことが明かであるから論旨は理由がある」（東京高判昭二七・一二・二五特三七・一四六）。

【27】「公衆衛生又は公衆道徳上有害な業務に就かせる目的の労働者募集は職業安定法によつて絶対的に禁止されている所為なのであるからこれらの業務を経営するものが、この業務に就く労働者の雇用の為被用者以外の者をして労働者の募集を行わせようとして労働大臣の許可を求めても労働大臣は許可する筈はなく又許可すべきものでもないのである。故に公衆衛生又は公衆道徳上有害な業務を内容とする職業は少くとも同法三七条にいう労働者を雇用しようとする者の範囲内には属しないものであつて、同法第六三条第二号をもつて処断すべき場合には最早同法第三七条は適用すべき余地のないものと解するのを相当とする」（東京高判昭二八・一二・二六特三九・二三九）。

なお、すでにのべたように職業安定法は、職業の安定という社会目的のほかに、産業発展のための労働力の需給の調整という経済目的を有する関係上、緊要な雇用政策の実施、重要産業の労働力の充足、募集又は就業地域内の一般的な労働基準の低下の防止、失業対策上の要請等にもとづき労働力の需給の調整を行う必要があるときは、文書募集、直接募集および委託募集を通じて、労働大臣又は公共安定職業所長は、労働者募集の人員、方法、条件その他を制限し又は必要な指示を行うことができることになつている（職安三八ⅠⅡ）。往時の国家権力による労働力の適正な配置の思想に一脈相通ずる規定であつて注目すべきものである。

四　労働者の供給

労働者の供給は、自己の雇用する労働者または自己の支配関係にある労働者を供給契約によつて他人に使用させること、別言すれば自己の支配下にある労働力を他人の求めに応じて他人に提供し使用に供することである。そして継続する意思で供給を反覆して行えば供給を業とすることになり、労働者を供給する事業が成立する。

一　労働者供給事業の禁止

労働者の供給を業とする者すなわち供給事業をいとなむ者と労働力の供給をうける者とのあいだには第三者である労働者の労働力の提供を内容とする供給契約が締結され、これにもとづいて労働者の供給をうける者と当該労働者とのあいだに事実上の使用関係が発生するが、労働者供給事業の事業主と当該労働者のあいだの支配従属関係は、従前どおり存続する。このような特殊の労働力の使用関係は、労働者の利益を不当に害する虞があるので職業安定法は、労働者供給事業を労働組合以外の者が行うことを禁止する。この禁止は、労働者を提供し他人に使用させること自体がつねに労働者の利益を害するからではなく、従来、労働者供給事業において事業者が利益をうる目的で労働者の供給を行い、労働者がその搾取の犠牲になるからであつて、労働組合が行う場合には、後にのべるように、かような弊害の発生する虞がないとして、職業安定法は、労働組合が労働大臣の許可をうけて労働者供給事業を行うことをみとめる（職安四五）。

判例【28】によれば、司法保護の立場から職業補導のために司法保護事業に従事する者が、その保護する少年を保護施設の外部に所在する私営工場に通勤させる場合に、保護事業者が報酬その他の利益をうけず、かつ司法保護の目的の範囲内であるならば、そのかぎりでは労務の継続した供給があつても職業安定法の禁止する労働者供給事業を行うものとみなすべきでなく、労働力の継続する供給は、違法ではないと解している。

【28】「同法（職業安定法）第四四条に於て何人も第四五条に規定する場合を除く外労働者供給事業を行うことを禁止しているのであるが、同条でいう労働者供給事業というのは業として即ち継続的意思を以て反覆して労働契約に基いて労働者を他に雇用させる行為を指称するものと解するを相当とするから司法保護事業に従事する者が保護している少年をして職業の補導を受けさせる目的を以て少年をして労働を為さしむることが所謂搾取と認むべき周旋料、報酬その他の利益を受くることなく且つ司法保護の目的を逸脱することなく外部の事業場に通勤せしむるも職業安定法第四四条の供給事業を行つたものということはできない。蓋し同法が労働者保護の目的を達成するため種々の制限規定を設けている理由は経済的弱者にある無知の労働階級を営利的悪徳紹介業者又は所謂街の顔役の搾取から逃れしめ、或は封建性の強い我国の如く親が子を所有物視し人身売買又は之が類似の行為を禁止した労働基準法等の社会立法と同一趣旨に基くものである」（名古屋地判昭二五・七・二八刑裁資五五・五三〇）。

要するに従来、労働者供給事業では封建的な身分関係にも擬せられる非民主的な関係にもとづいて労働者が供給使用せられ労働の中間搾取が行われ、かつ強制労働の弊害をともないがちであつた。したがつて労働者供給事業を禁止すれば、これによつて、それだけ労働者の権威と自由とが保障され労働の民主化が推進される（東京高判昭二六・九・二八特二四・八、東京高時報一・四・五一）という意図にもとづくといえよう。また、この禁止は「使用者と労働者との中間に立つて賃金その他労働者の受ける利益の一部をはねて利得しようとすることを仕事としているものを出来得る限り排斥して使用者と労働者との間に近代的労働関係を打ち立てようと意図した……」（名古屋高判昭三〇・一二・七高裁特報三・四・一一二）といつてもよい。別言すれば「経済的弱者にある無知の労働者階級を営利的悪徳紹介業者又は所謂街の顔役の搾取から逃れしめるため……」であり、また「封建性の強い我国の如く親が子を所有物視し人身売買または之が類似の行為を禁止……」する趣旨と同一の趣旨であり、労働保護とともに労働関係の近代化のために設けられた一連の制限規定の一環にほかならない。

二　請負契約と労働者の供給

実質上は労働者の供給であるにかかわらず厳正な意味の供給契約によらないで請負契約の形式をもちいて労働者を提供し他人の使用にあて、法の禁止をまぬかれる労働者の供給がある。貸付工と一般によばれる場合なども該当しやすい。職業安定法は、規定を設けて、かような脱法行為の防止をはかつている（三塚「底辺労働市場の基本問題」日本労働協会雑誌八二号三五頁以下参照）。

（一）　職業安定法の規定　職業安定法によれば、つぎの要件をみたすのでなければ、かりに請負契約の形式であつても、労働者を継続反覆して提供し他人の使用にあてる場合には、法の禁止する労働者供給事業を行うものとみなされる。

労働者を提供する者が、(1) 作業の完成について事業主としての財政上ならびに法律上のいっさいの責任を負い、(2) 作業に従事する労働者を指揮監督し、(3) 作業に従事する労働者に対して使用者として法律に規定するすべての義務を負い、(4) 自ら提供する機械、設備、器材もしくは作業上必要な材料、資材を使用するか、または企画もしくは専門的な技術もしくは経験を必要とする作業を行うものであつて、単に労働者の肉体的な労働力を提供するだけではない、という要件をみたすのでなければ、たとえ請負契約のかたちであつても、それは、供給契約によつて労働者を供給したことになり、かような供給を継続反覆すれば労働者供給の事業を行う者とされる（職安則四Ⅰ）。要するに請負の名義で請負事業のかたちであつても請負人が作業の完成について事業主として財政上および法律上の責任を負わないとか、作業に従事する労働者を請負人みずから指揮監督しないとか、作業に従事する労働者に対して請負人が使用者として法律に規定する義務を負わないとか、さらに請負人が機械、設備、器材を自らの提供せず、もしくは作業に必要な材料、資材を自ら提供しないで請負作業を行い、または作業が請負人の企画もしくは専門的技術もしくは専門的経験を必要としないところの作業であり、いずれにしても作業を遂行するにあたつて請負人が単に労働者の肉体的な労働力を提供するにすぎないといつた場合には、労働者供給の事業を行つたことになる。

さらに右にかかげる要件がみたされていても、もし労働者供給事業の禁止をまぬかれるために故意に偽装し、事業の真の目的が労働力の供給にあるならば、おなじく労働者供給事業を行う者にあたることをまぬかれない（職安則四Ⅱ）。たとえば請負人は、上述のように機械、設備、器材その他をみずから提供すべきである（職安則四Ⅰ4）とされているので、表面では請負人が事業者である発註者から借用した形式または譲受け、もしくは購入した形式となつているが、事実は、機械、設備その他が発註者の管理または所有するところのものであつて、このことが機械その他の使用状況からあきらかである場合のように法定の要件を形式上充たし実質上は具備していないときを例としてあげることができる。また、他の一例としては、作業について事業者である発註者が直接に労働者を直用する形式をとつているが、発註者の帳簿の備付、賃金の支払方法、雇入解雇の実権帰属の状況、手数料に近い性質の経費の負担等の傍証からいつて、発註者みずから直用を主張するにかかわらず発註者が使用者としての義務を履行せず、直用の事実がみとめられない場合等をあげることができる。

（二）　判例の基準

(1)　労働者供給の事業を行うものと判断する例　作業が請負契約の形式で実行されたにかかわらず労働者の提供が労働者供給の事業を行うことに該当すると判断した判例を三つあげてみる。

（イ）　判例【29】によれば、請負作業が労働者供給事業にあたらないためには、それが請負人の「専門的な企画、技術……」（職安則四Ⅰ4）を必要とする作業でなければならない。そして専門的な企画とか技術とかいうことは、技術については熟練工などが一般に通常もつところの能力とか技術とかをいうのではなく、その専門の能力又は技術がなければ請負作業自体の運営が不可能となるといつたような相当に高い程度の技能を意味し、また企画については、もし企画が全体からいつて事業者によつてたてられ且つ事業者の指図のもとで実行されるならば請負人の専門的企画とはいえない、という意味である。

【29】「専門的な企画、技術」とは普通熟練工と呼ばれる者が通常有する程度の企画能力や技術をいうのではなくそれよりも相当高度の専門的なそれをいい、請負人がかかる能力、技術を有していて始めてその請負作業を運営遂行し得る如き作業内容のものでなければならぬとするものと解すべきで、……被告人等はこれを単に一介の労働者として見れば夫々造船各部門の熟練工の名に値しようが未だその請負つたとせられる作業を全般的に企画運営する能力はなく現実には右の作業はいずれも会社側の全般的な企画、指揮の下に運営されていたものであると認められ、しかもその請負つたとせられる作業につき被告人等が前記の要件（職業安定法施行規則四条一項四号の要件）を充たしていた事実は認め得られないのであつてしかも右の第一項（職安則四条一項）には請負が……労働供給事業と認められないために前記第四号と同時に請負人の具備すべき要件として第一号に「作業の完成につき事業主として財政上及び法律上のすべての責任を負うものであること」第三号に「作業に従事する労働者に対し使用者として法律に規定されたすべての義務を負うものであること」の如き規定を置いており、被告人等の請負契約が右第一号、第三号に所定の各要件を十分に充たしているものとは証拠上到底認め難く……従つて被告人等の従来の請負契約は職業安定法施行後は到底そのまま適法有効に存続しえなかつたものという外なく、職業安定法施行後右Ｎ職業安定所より右請負契約に関し前記会社になされた指示勧告が従来被告人等が使用して来た労働者を形式的に会社直傭労働者に切換えれば足るという如き脱法行為を認めるが如き趣旨のものでなかつたことは証拠上も明白であるから会社の直傭労働者に切換えた以後に於ては被告人等は右切替前より一層前記職業安定法施行規則第四条第一項第三号の要求を充たすに遠ざかるに至つたことも証拠上明

白であつてその後に於て被告人等が架空労働者の賃金名下に従前の請負契約に於けると同様の利得を計つていたのはその名は請負であれ何であれ実体は明かに不法の脱法的に労働者供給事業を営んでいたものという外はない」（名古屋高判昭三〇・一二・二七高裁特報三・四・一二一）。

（ロ）　職業安定法では、たとえ請負契約の形式であつても、労働者を提供し他人に使用させる者が、みずから提供する機械その他によつて作業を行わないで事業者の所有する機械その他によつて作業を行い、単に労働者の肉体的な労働力だけを事業者に提供するにすぎないときは、労働者を提供する者が請負人の名義で作業を行つても、労働者供給の事業を行う者とされるが、労働者を提供し他人に使用させる者が自ら提供する機械、設備、器具のほかに事業の性質上、事業者の常時整備保有する機械、設備、器材をもあわせて綜合的に使用して作業を行うのが常態である場合に、たまたま請負つた作業のうち自己の提供する機械、設備その他を使用する必要のない作業があつて、この部分については事業者の整備保有する機械、設備だけを使用して作業を行つても、この部分が全作業の作業量の三割以内といつた僅少の作業であるときは、この三割以内の部分だけをとりあげて労働者の提供が労働者の供給となるか否かを考証すべきでない。このような場合には、労働者の供給にはあたらないと解すべきであるとされている（港湾荷役における労働者供給事業認定基準参照）。しかるに判例【30】は、右の場合にも請負契約が事業者と労働者を提供する者とのあいだに締結されているということが前提となるのであつて、請負契約の締結がないときは、事業者の整備保有する機械、設備だけを使用して作業を行う部分が全作業量の三割以内であつても労働者の提供は、労働者供給の事業を行つたものと解する。

【30】「……その業者の行う作業量全体の三割以内の労務供給の許されるのは請負契約をしたことを前提とするのである。しかるに本件においては被告人とR社との間に薪炭の荷揚作業等の請負契約が締結されたことを認めることはできない」（東京高判昭二六・一二・一二東京高時報一・一二・一七八）。

（ハ）　職業安定法の除外例にあたる場合であつても請負契約の締結がなければ除外例による許容は、みとめられないが、さらに判例【31】によれば、労働者を雇用する者が事業者とのあいだの請負契約によつて労働を提供、これによつて作業が開始され、この作業開始の当時には請負関係が形式上だけでなく実質上も存在し、いわば請負契約が名実とも存在して職業安定法のいう労働者供給は、全くみとめられなかつたが、もし後日、事情が変化して請負契約によることを取止め、それにもかかわらず、なお引続き事業者をして労働者を使用させていれば、労働者供給事業にあたると解される。

【31】「H工業所においては被告人からの申出によつて原石処理の仕事をさせることになつたが被告人から廻して来る人夫が会社の就業開始までに通勤して来るのに困難な事情があつたので当初は請負契約によつて仕事をさせることとし仕事の出来具合によつて請負金額を定めることとして仕事を始めさせたのであるが、その後請負契約によつては仕事をさせ得ないことになつたので請負契約によることを止めて昭和二八年以降は被告人の廻して来た人夫を会社の臨時工として稼働させることになつたものであること……を認めることができる。かような事実を徴すれば昭和二八年二月以降は被告人より廻して来た人夫はいづれも会社の臨時工として傭われ、会社の仕事に従事していたものであつて被告人が会社より仕事を請負つて被告人に使用されていたものではないというべきである」（名古屋高判昭三一・五・二五高裁特報三・一一・五七八）。

(2)　労働者供給の事業を行うものではないと判断する例

（イ）　すでにのべたように職業安定法は、反面では、その定める要件のすべてがみたされるならば請負契約にもとづくかぎり、労働者を提供し他人をして使用させても労働者供給の事業を行うとはみなさない（職安則四Ⅰ1〜4参照）。これについては石炭採掘請負人の鉱夫の労務提供に関する事件（福岡地判昭二四・五・二七刑資五五・五〇八）がある。石炭採掘の下請負人N等は、昭和二三年三月一日以降七月九日までM社に属する一鉱区の石炭採掘を請負つていたが、その採掘に必要な機械・設備・器材・材料および資材を自ら提供することなくM社から提供を受け、雇用する鉱夫の肉体的労働力のみを提供しているようにみえるから職業安定法の定める要件（職安則四Ⅰ4一、二段）を欠き形式上は請負契約であつても同法の規定（職安五Ⅵ）のいう労働者供給事業を行つたことになり、また元請負人D等は、同年六月三〇日から一〇日間にわたり下請負人から供給された労働者を使用した以上、いずれも同法の規定（職安四四後）に違反するのではないか、というのであつたが、裁判所は、つぎのように判断した。

(a)　職業安定法にもとづき請負関係がみとめられるためには、第一の要件として作業の完成について労働者を提供する者が事業の主体としての財政上および法律上の一切の責任を負うものでなければならない（職安則四Ⅰ1）。しかるに本件の下請負人等は、いずれも請負作業の完成について自己の責任で事業運転資金その他の諸経費を調達、支弁し、また採掘した石炭を全部M社に納入するなど、請負契約上の義務の履行について責任を負つていたことが明かである。したがつて第一の要件はみたされている。

(b)　請負関係がみとめられるためには第二の要件として、自己の雇用する労働者を提供し、他人に使用させる者が作業に従事する労働者を直接に指揮監督するものでなければならない（職安則四I2）。ところで本件の下請負人は、それぞれ労働者の雇入、解雇等の身分上の指揮監督を自ら直接に行い、また作業においても労働者を直接に指揮監督していたことが明らかである。もつとも下請負人の雇入れた労働者は、名義上はM社の鉱夫となつているが、これは、鉱業権者M社が鉱員名簿を備付ける法律上の義務を負う関係から形式的にM社の鉱夫としたにすぎない。指揮監督関係の有無は、実質的に判断をすべきであり、また下請負人が行う労働者に対する指揮監督を否認する根拠がない。第二の要件も充たされている。

(c)　職業安定法によれば、請負関係がみとめられるためには第三の要件として自己の雇用する労働者を提供して他人に使用させる者が作業に従事する労働者に対して使用者として法律に規定された義務、すなわち労働組合法、労働基準法および諸社会保険関係の法律等における使用者としての法律上の義務を負うものでなければならない（職安則四I3）。ところで本件の下請負人は、いずれも健康保険、厚生年金保険、失業保険および労働者災害補償保険に事業主として加入し、また賃金支払等の労働基準法上の使用者としての義務を負い、また鉱夫の加入している労働組合と下請負人の組織する坑主組合とのあいだに団体交渉が行われ、労働協約が締結されていることがあきらかである以上、使用者としての法律に規定されたすべての義務を負担しているといわなければならない。第三の要件も充たされている。

(d)　請負関係がみとめられるためには、第四の要件として、労働者を提供し他人に使用させる者が(i)自ら提供する機械、設備、器材を使用して作業を行うか(ii)若しくは作業に必要な材料、資材を使用して作業を行うか(iii)又は企画若しくは専門的な経験を必要とする作業を行うか、であることを要し、単なる労働者の肉体的な労働力を提供するものでないことを要する(職安則四I4)。ところで本件について(i)(ii)および(iii)の要件をみるに、

①　鉱区については、M社が鉱業権者であるが、同社が直営で石炭採掘の作業を行うには炭層の関係上、技術的にみて適当でない事情があり、太平洋戦争中の石炭増産の要請に応じて責任出炭量を補充するために石炭採掘の作業を他人に請負わせ、戦争終了後、上述した本件の元請負人に採掘作業を請負わせ、元請負人は、これまた自ら採掘作業を行わずに本件の下請負人に作業を請負わせた。M社と元請負人とのあいだの契約は、請負人が鉱業権者に斤先料を支払い鉱業権者の委任をうけて石炭鉱を経営する契約すなわち斤先契約ではなく、石炭採掘作業の請負契約の形式のものであった。ところでM社と元請負人とのあいだに締結された石炭採掘の請負契約によれば、採掘に必要な機械、設備、器材、材料、資材等すべてM社が提供、採掘された石炭は、全部M社に帰属し、元請負人は、相当額の採掘費の支払をM社からうけることになつており、元請負人と下請負人との下請負契約も、この元請負契約に準ずるものであつた。そして下請負人は、採掘に必要な機械、設備、器材も、又は材料、資材も、すべて元請負人をとおして事業主たるM社から提供をうけ、下請負人の行う採掘作業

は、下請負人の提供する機械、設備、器材を使用して行われるのではなく、また下請負人の提供する採掘に必要な材料、資材を使用して行われるのでもなかつた。したがつて下請負人の作業は、第四の要件のうちの(i)および(ii)の要件については、そのいずれにも適合しないわけで、(i)および(ii)の要件は、充たされていない。

②　しかし(iii)の要件についてみると、この鉱区の石炭層は、薄層で炭層傾斜が急であるうえに褶曲による炭層の変化がいちじるしく断層が多い。そして、このような地質地形の石炭層で採炭を行うためには、地質地形の変化に即応して坑道の造成とか補強とかの作業をつづけながら一定の採炭計画にもとづいて採炭作業が行われることを要する。つまり一定の計画をたてるとか専門的技術を活用するとか専門的経験を利用するとかが要求される。ところで下請負人は、いずれも九年ないし三〇年という長い炭鉱経営の経験者であり、採掘作業を行うにあたつてM社から技術者の援助または指導など一切うけず、もつぱら下請負人みずからたてた企画により、その専門的技術または専門的経験をもちいて採掘作業を行つたのである。下請負人のもつ専門的技術は、一般的にいう特に「高度」の専門的技術ではないかもしれないが、一般に「熟練工」とよばれる労働者の有する程度の技能、技術等よりも相当に高い程度の専門技術である。したがつて職業安定法が特別に高度の専門技術を明文で要求していないとするならば、刑罰法規の適用のあるのにかんがみ、法律の規定を厳格に解し、本件の下請負人は、職業安定法の規定する第四の要件のうちの要件(iii)を充たしたものであり、すなわち下請負人

は、「労働者を提供しこれを他人に使用させる者……」で「……企画若しくは専門的な技術若しくは専門的な経験を必要とする作業を行うものであつて……」単に雇用する鉱夫だけを提供するもの、すなわち「……単に肉体的な労働力を提供するものではないこと」（職安則四Ⅰ4三段）の要件に適合する。そして第四の要件を充たすに必要な(i)(ii)および(iii)の要件は、職業安定法の規定の文体からいつて当然に択一的要件であり、絶対的要件ではないから、下請負人の採掘作業は、(i)および(ii)の要件には適合していなくとも(iii)の要件に適合している以上、要件の第四も充たされたわけである。したがつて下請負人は、職業安定法のいう労働者供給事業を行つたものではない。

（ロ）　請負契約による業務の実施が労働者供給事業にあたらないと判断された場合の他の一例として関西電力常用夫更新拒絶事件【32】をあげることができる。事件の、ごく概要を略述してみると、A電力会社（関西電力株式会社）は、業務の合理化をはかるために常用夫によつて従来行われていた会社直営の業務の一部を請負契約によつてB会社（関西興業株式会社）に移管した。そして業務の請負化にさいし、この業務に従事していた常用夫の大部分は、A会社を退職しB会社の管理に移行すなわちB会社に就職するというかたちをとり移管の実施後は、B会社の作業員として請負化以前に従事した業務と同一の業務に同一の場所で従事することになつた。ところが右の常用夫のうち本件仮処分の申請人である三名は、A電力会社を退職しB会社に就職すること、つまり移行することを拒否した。昭和三六年四月一日付で請負移管が実施され、さきにB会社に就職することを承諾した他の常用夫らは、同日付でA会社を退きB会社に移行すなわち就職しB会社の直用の作業員となつた。これと同時にA電力会社の常用夫業務は、従前どおりA電力会社の同一の事業所内で遂行されるにかかわらず、移行を拒否した三名の従事する業務をもふくめて、すべてB会社の請負業務となりA電力会社の直営業務の範囲外のものとなつた。そこでA電力会社は、移行を拒絶した右の三名の雇用契約の更新を拒絶し、三名を解雇した。右の三名は、この解雇を争い、労働協約違反、不当労働行為および解雇権の濫用を理由として解雇無効の仮処分を申請した。そして、そのなかで右の申請人らは、B会社による請負化した業務の実施が職業安定法四四条の禁止する労働者供給事業を行うことに該当し、かような違法の請負業務に協力しなかつたことを理由とするA電力会社の解雇が解雇権の濫用にあたると主張した。

そこで、いま職業安定法四四条に関する部分だけをとりあげて本件の請負契約による事業の遂行が同条違反になるか否かについて、まず当事者双方の主張を、ついで裁判所の見解をみてみよう。

(a)　申請人すなわち解雇された三名の主張するところによれば、職業安定法施行規則四条一項二号の「作業に従事する労働者を指揮監督するものであること」というのは、自己の責任において作業上および身分上直接に指揮監督することであつて、注文者が自ら作業に従事する労働者に対して指揮監督をくわえることは、ゆるされないという意味であり、また同項四号の「自ら提供する機械、設備、器材(業務上必要な簡単な工具を除く)……」の「業務上必要な簡単な工具」というのは、機械器具のなかで、作業の主体となつている個々の労働者の労働力の補助的な役割を果すにすぎない工具のことで、たとえば、のみ、かんな、シャベルなどのように通常個々の労働者が所持携行しうる程度のものをいうのであつて、たとえ、このような器具を請負人が提供したからといつて四号のいう請負人「自ら提供する機械……器材」を労働者が用いて労働したことにはならず、請負人は、単に肉体的な労働力を注文者に提供したことになる、という意味である。

ところで被申請A電力会社からB会社に請負化されて移管された業務の実態をみるに、B会社へ請負移行したC発電所補助要員業務（コールシュート突き作業等）は、請負化以前、すなわち直営業務のときからA電力会社の社員の直接的指揮監督に従つて行われ請負業務に移行してからも事実上はB会社の指揮監督のもとではなく依然としてA電力会社の社員の指揮監督のもとに実施され、その態様に変化がない。またA電力会社D発電所工事仕様書によれば、D発電所におけるB会社の請負うことになつた業務のうち生産工程部門の業務は、A電力会社の社員の指揮監督のもとに実施されることがB会社に要求されている。さらに請負化された業務は、移行後もA電力会社の所有する器具類が使用されていて移行前と変りがない。したがつて本件の請負移行業務が職業安定法施行規則四条一項二号および四号の要件を欠くから請負会社たるB会社は、同法の禁止する労働者供給事業を行うものであり、A電力会社は、同法に違反して本件の請負化を実施したことになるから、これに協力しなかつた申請人に対してA会社が、これを理由に行つた解雇は、法的に保護されるべき正当な理由がなく、解雇権の濫用として無効である、というのであつた。

(b)　これに対して被申請人であるA電力会社の主張するところによれば、職業安定法四四条が労働者供給事業を排除するのは、従来の労働者供給事業制度が反民主的であつて封建的な身分関係の立場から労働者を支配する傾向をもち労働者に対する中間搾取をまねき強制労働の弊をともないやすいからである。ところでB会社にあつては、会社と従業員とのあいだには民主的労働関係が存続しB社労働組合も結成され近代的労働関係が確立しており中間搾取も労働強制の弊もみられず、雇用形態の民主化が行われている。そしてB会社の事業内容は、営業種目が多数であつて、とくにB会社は、送電線、地中配電線建設工事、火力発電所補修工事等に関しては全国的にも一流の業者として業界にひろくみとめられ、発送変電部門の建設、補修請負工事を組織的に、かつ綜合的に行つている請負工事専門の業者であり、単に肉体的な労働力を、すなわち単に労働者だけを注文者に提供するものでなく、したがつて労働者供給事業を営むものではない。

そして本件請負の実施の態様は、職業安定法施行規則四条一項各号の規定に適合している。請負事業としての要件の一つの同条一項二号の「作業に従事する労働者を指揮監督するものであること」についてみるに、本件の請負工事の作業上の指揮監督は、B会社の各出張所長が各作業員を総括して管理監督し監督員が各作業所を巡回して作業員を指揮監督し班長および副班長が各班所属の作業員を直接に指揮監督する。また他方、被申請A電力会社では、社員がB会社の作業員に対して直接に指揮監督をくわえることを厳禁し、注文上の指図の必要な場合には必ずB会社の責任者を通じて行うことにしている。申請人らの指摘するD発電所仕様書は、A電力会社D発電所の関係課の一試案であつて、実際はB会社に手交されたものではない。また一項四号の定める要件「自ら提供する機械、設備、器材（業務上必要なる簡易な工具を除く）……を使用し……単に肉体的な労働力を提供するものではないこと」については、B会社が一般に請負工事の実施に必要な機械器具などを所有していることは、業界のひろくみとめるところであつて、本件の請負工事の各作業の稼動力となる機械器具、各作業に必要な材料、資材は、すべてB会社の所有にかかる。たとえばコールシュート突き作業のためには、B会社は、その所有する独特の工具を使用し、その工具の長いものは、三メートルにおよび、短いものでも一、五メートルあつて、しかも単純な棒状ではなく、その先端は、石炭のつまる個所とか状態とかに応じてさまざまな形をしている。要するに、これらの器材は、いかなる種類の請負工事にも共通に使用できるといつたものではなく、また、どこにでも市中で販売されているものではなく、そして労働者が、めいめい所持し携行できる「簡易な工具」ではない、というのである。

(c)　裁判所は、被申請A電力会社の主張をみとめ、B会社の行う請負業務が申請人らの主張するような労働者供給事業にあたらない、とする。【32】にのべているように、A電力会社の常用夫業務がB会社に請負移管され、これにともない該当業務に従事していた常用夫は、A電力会社を退職のうえ作業員としてB会社に就職し、この就職した常用夫の大部分は、A電力会社の常用夫であつた当時に従事していたと同一の職場で同一の内容の作業に従事しているとはいうものの、作業については、A電力会社からB会社の社員である監督員に対して作業内容が指示され、作業員は、右の監督員の指揮監督をうけて請負業務の内容である作業に従事する、といつたシステムのもとに実施されていたことが疎明され、またA電力会社の社員が直接に作業員に指図することが禁じられていたこともあきらかにされる。もちろんB会社の作業員とA電力会社の社員とは同一の場所で作業している以上、事実上は互に連絡し合うことは想像できるが、そのためにB会社の監督員ないし作業責任者（班長）の作業員に対する指揮監督が排除されていると認めることはできない。つぎに作業員らがコールシュート突き等の作業にさいして使用する特殊の器具類は、作業員が従前にA電力会社の常用夫であつた当時に使用していたものであるが、それらは、請負移管と同時にA電力会社からB会社に譲渡されB会社の所有となつたことが疎明されている。またA電力会社のD発電所側から提示された請負業務の実施に関する仕様書は、D発電所の試案として作成され、その後D発電所は、これをA電力会社のE火力事務所に提出したところ、同事務所では内容を修正のうえA電力会社本店へ提出、そして仕様書は、そのままではB会社に手交されておらず、仕様書の内容と請負業務の具体的実施態様とは異ることが証言によつて認められる。これらによつて裁判所は、B会社の行う請負業務の実施が申請人らの主張するように職業安定法施行規則四条一項二号および四号所定の要件を欠くものとはいえない、と判示して申請人らの主張を却けている。

【32】「職業安定法第四四条は労働者供給事業を禁じ同法施行規則第四条は請負契約にもとづく場合にもそれが右にいう労働者供給事業にならないための要件を第一ないし第四号に規定し……ところで…の各証言によれば、常用夫業務が関電興業へ請負移管され、かつ、これにともない該当業務に従事していた常用夫が会社を退職のうえ作業員として関電興業へ就職したうえ、右作業員等の大部分は常用夫当時に従事していたと同一職場で同一内容の作業に従事しているとはいえ、右作業は先づ会社から関電興業（請負人）の社員たる監督員に対し伝票をもつて作業内容が指示され、作業員は右監督員の指揮監督を受けて請負業務の内容である作業に従事する、夜間作業の場合には作業員のうちの責任者（班長）が右監督員の職務を代行する、というシステムのもとに実施されていて、被申請会社の社員が直接に作業員に指図をすることは禁じられていること及び右作業員らが作業をするに際し使用する特殊の器具類は従前常用夫当時使用していたものを請負移管と同時に会社から関電興業の所有となつたものを使用していることがそれぞれ疏明され……尼東発電所と関電労組尼東支部との間で前に認定した請負化除外業務の具体的範囲についての協議をした際に発電所側から提示された請負業務の実施に関する仕様書にして、発電所側は請負化の暁には右仕様書記載のような方法で具体的に実施する旨説明し、右説明によれば関電興業の作業員は被申請会社の社員の指揮をうけて作業するというようなことが仕様書の内容になつていたことが窺われるけれども、……右仕様書は尼東発電所の試案として作成され、かつ、右のようにこれに基いて関電労組尼東支部に説明されたものであるが、その後これを兵庫火力事務所に提出したところ同事務所ではその内容を修正のうえ会社本店へ提出したから右仕様書はそのままでは関電興業に手交されておらず、したがつて右仕様書の内容と請負業務の具体的実施態様とは異るものであることが認められる……してみると、関電興業の行う右請負業務の実施は申請人らの主張するように職業安定法施行規則第四条第二号及び第四号所定の要件を欠くものとは断じ難い。勿論、関電興業の作業員と会社社員とは同一場所で作業している以上、事実上は互に連絡し合うことのあるのは想像しえられるところであるが、そのために関電興業の監督員ないし作業責任者（班長）の作業員に対する指揮監督が排除されていると認めることはできない」（関西電力常用夫更新拒絶事件、大阪地判昭三八・七・一九労民集一四・四）。

三　労働組合の行う労働者供給事業

職業安定法は、労働者供給の事業を行うことを原則として禁止するが、すでに一言したように例外として労働組合法による労働組合が労働大臣の許可を受けて労働者供給の事業を無料で行うことをみとめる（職安四四・四五）。これは、工場事業場によつては必要な労働者をすべて直接に雇用することが困難で、ある程度、その使用する労働者の継続する供給をうけないかぎり事業運営に支障が生ずるからである。そして労働組合が一定の条件のもとで、労働者供給事業を行う場合には、従来の労働者供給事業にともなう弊害の生ずる虞がないので、例外として労働組合が労働者供給の事業を行い、産業上の要請に応ずることをみとめたのである。

労働組合が労働者供給の事業を行う場合には、その許可に附帯する大体、つぎのような条件を充たすことが必要とされている。それは、労働組合の供給する労働者が、その組合の組合員であること、その反面、その労働組合以外の組合の組合員を、または労働組合の組合員でない労働者を供給しないことを要する。つぎに組合が組合員を供給するにあたつては、その供給する組合員の職種および供給地域を申請書に明確に記載し、申請書に記載した以外の職種の組合員を供給し、または記載した供給地域以外の地域に組合員を供給してはならない。また労働組合の行う組合員の供給すなわち労働者供給は、供給先と直接に供給契約によつて行われることを要する。請負契約によることは、みとめられず、すなわち労働者供給事業を請負事業の形式で行わないこと、である。さらに供給は、すべて無料でなければならないのであつて、労働組合は、組合の供給する組合員からも供給をうける事業主からも名目のいかんをとわず手数料的性格の経費を一切徴収してはならない。

五　公衆衛生上又は公衆道徳上有害な業務

職業安定法は、公衆衛生又は公衆道徳上有害な業務に就かせる目的で職業紹介、労働者の募集、労働者の供給を行うことを禁止し、かような行為をした者又は、かような業務に従事する者を処罰する（職安六三2）。これによつて職業安定法は、労働保護とともに公共の福祉の維持をはかる。

公衆衛生は、社会共同生活において一般人の健康が維持されるに必要な衛生をいうのであつて、このような意味の公衆衛生に有害な業務とは、業務が社会共同生活をいとなむ各人に対して衛生上の危害をあたえることを意味する。また、ここにいう公衆道徳は、各人が社会の共同生活をいとなむうえで守らなければならない道徳のことで、したがつて公衆道徳上有害な業務とは、社会共同生活をいとなむために守らなければならない道徳を害する業務、別言すれば社会一般の通常の倫理観に抵触し、この倫理観の維持に支障を生じ社会共同生活に害毒をおよぼす業務をさすのである。そして業務いかんによつては、公衆衛生上からも公衆道徳上からも有害な業務と解することができる（昭和二六・一一・二五職収一一三号）。そして、これに関する判例は、きわめて限局された範囲の、反倫理性の濃い特殊の業務に関するものが大部分を占め、あまり変化に富んでいない。

一　社会的法益と人格的法益

公衆衛生上又は公衆道徳上有害な業務につかせる目的で行う職業紹介、労働者募集又は労働者供給は、事業としての立場から制約されるのではない。職業安定法は、職業紹介行為と職業紹介事業、労働者募集行為と労働者募集事業、および労働者供給行為と労働者供給事業とを、それぞれ区別して概念を定める。そして公衆衛生上又は公衆道徳上有害な職業紹介、労働者募集、労働者供給は、それぞれ一回の紹介行為、募集行為、供給行為のことを指すのであって、判例【33】は、職業安定法六三条二号に違反する罪は、紹介罪にあっても募集罪にあっても供給罪にあっても、それぞれ一行為につき一犯罪が成立し、別言すれば構成要件が充足されるごとに一犯罪が成立すると解する。そして職業安定法は、公衆の衛生又は公衆の道徳を保護するという社会的法益の保護だけでなく、おなじく被紹介者、被募集者、被供給者の個人的衛生又は道徳の保護という個人的人格的法益の保護のために、法六三条二号で公衆衛生上又は公衆道徳上有害な業務につかせる目的の紹介行為、募集行為又は供給行為を禁止するにほかならない。

【33】「職業安定法第六三条第二号違反罪の法益は同法条の文意及びその精神に照らすと単に所論の如く社会法益のみでなく人格的法益の並存することが明らかであり、しかも同法条違反罪は同種類の行為の存在若しくは同種類の数個の行為が目的とされたことを犯罪の成立要件とする職業犯等のごときいわゆる集合犯の範疇に属するものでないから、同法条違反罪の構成要件を充足するときは、すなわち一個の犯罪が成立し、更に別に同構成要件を充足するときは別個の犯罪を構成すべきであ

る。従って職業安定法違反罪の被害法益は社会法益であるから同違反罪は一罪であるとする論旨は理由がない」（福岡高判昭二九・二・三特二六・六）。

二　有害な業務

公衆衛生上又は公衆道徳上有害な「業務」は、いわゆる「産業」であると否とをとわず利益をうることを目的として継続的反覆的になされる実際上の事業状態すなわち業態を汎く称するのであって、この「業務」が職業安定法一条の「産業」にぞくする行為か否かは別に独自に判断して差支ない【34】。ある営業が「産業」にぞくしないとしても、事実上そこにおける公衆道徳上有害な行為を内容とする業務につくことをあっ旋する行為は、同法六三条二号の禁止する職業紹介にあたる。したがって、ここにいう「労働者」は、産業労働者であることを要せず、雇用主との関係において、対価をうる目的で労働力を他人に提供する者すべてを意味する【35】。公衆衛生又は公衆道徳上有害な業務に就かせる目的で職業紹介、労働者の募集若しくは労働者の供給を行った者は、かかる行為を業として行ったことを要せず、別言すれば職業紹介事業、労働者募集事業又は労働者供給事業であることを要しない。また、それが有料であると無料であるとをとわない。そして公衆衛生上又は公衆道徳上有害な業務につかせるために行う職業紹介、労働者募集又は労働者供給が労働者の雇用又は使用関係の成立を目的として行われ、しかも成立する雇用又は使用関係が法規違反若しくは公序良俗に反することを理由として契約上は無効とされても、それは、そこに行われた紹介行為、募集行為又は供給行為という事実行為が法六三条二号の禁止する行為に該当することに影響をおよぼすものではない。

【34】「職業安定法第一条でいう「産業」とは主として物資の生産的方面を内容とする業務を意味すること所論のとおりである。然し、その具体的内容の種別如何、又特に許可、免許、届出等の手続を経たか否か等の区別を超えて要するに適法な業務に属することを要するは当然である。之に反して、同法第六三条第二号にいう「業務」とは、第一条にいう産業たると否とをとわず要するに営利を目的として継続的反覆的になされる実際的事業状態を汎称するものと解するを相当とする。同条号所定の「公衆衛生上又は公衆道徳上有害な業務に就かせる目的で、職業紹介」をなすことを処罰取締るのは、之により間接に同法第一条の産業に労働力を集中充足せしめる目的達成に資するためで、両法条は各独立の分野に立ちながら表裏相俟つて結局第一条にいう職業安定および経済興隆の目的実現を図るものであり、その間互いに撞着矛盾する関係はない。従つて第六三条第二号にいう「業務」に関する行為なりや否やは、第一条にいう「産業」に属する行為なりや否やに拘らず独自に判断するを妨げない。之を本件に照すに、原判決において被告人につき判示するところは、専ら職業安定法第六三条第二号の公衆衛生上及び公衆道徳上有害な業務に就かせる目的で婦女に対して職業紹介をしたという点にある。而して料理店の接客婦ではあるが実際上その従業中客に対して職業的に売淫することを内容とする雇い入れ契約の成立を斡旋することは、右条号に該当することは既に論旨第一点に対する判断において述べたとおりである。而して、この判断は同条号の目的に拠り独自になし得るものなることも前述の如くである。故に、之に対して、料理店営業が産業に属しないということを以て実際上職業的売淫をも内容とする業務に対する就職斡旋を罰することを違法となすは彼此混淆するもので失当である」（東京高判昭二九・九・一五高裁特報一・六・二五〇東京高時報五・九・三七三）。

【35】「職業安定法の目的は、第一条に定めるとおりであるから、所謂公共の職業安定機関及び公共の職業安定機関以外のものでも労働大臣の認容するものが取扱う労働者は産業に関係のある労働者であることは所論のとおりである。しかし本法は労働の民主化を根本精神とし労働者の基本的人権を尊重し、労働者の自由と権威とを確保することにより産業、経済の興隆を図ろうとしているものであるから同法は労働者が産業の興隆に寄与しない公共の福祉に反する業務に就くことを防止しようと

する機能も有するものと解せられる。同法第六三条第二号の公衆衛生又は公衆道徳上有害な業務に就かせる目的の職業紹介、労働者の募集を禁止しているのはその現である。従つて本法の対象となる労働者は所論のように単に産業労働者に限るものではなく、広く労働力の主体である個人で対価を得て又は得ようとして雇用主との間に自己の労働力提供の関係に立つか又は立とうとする一切の者を包含すると解すべきであつて、本件のように売淫する婦女も亦本法でいう労働者というに何等差支ない」(東京高判昭二八・一二・二六東京高時報四・六・二〇四)。

「有害な業務につかせる目的で」ということは、判例【36】によれば、たとえ就業先が法令等によつて正規に許可された営業で設備も整い衛生等について留意されているものであつても、収益をはかる意図で公衆道徳上有害な業務につかせるために労働者を営業主に紹介し周旋料をとり、表面上だけ、この営業に就職させることを営業主と約する場合には、「有害な業務につかせる目的で」職業紹介をしたことになる。

【36】「いわゆる「特殊カフエー」とは風俗営業取締法、同施行条例によつて単に「カフエー」として公認された業者中の一部の者が法令に根拠なく勝手につけた自称業名にすぎずそれは同条例の取締の対象外にある特殊例外的存在ではない。即ちその公認の限度は客席で客の接待をして客に遊興又は飲食をさせることにあり、婦女を抱え売淫行為を職業的にさせて営利を得る業態を公認されたものではない。……業者は実際上その抱える婦女たちをして職業的に客に売淫させて収益を図ることを当初からの約旨とし被告人と本件契約を為し、その結果現実に行為がなされたことがみとめられるときは……比較的に設備や衛生等に注意される場合でも公衆道徳上有害なことは当然である」(東京高判昭二六・一二・五刑集四・一四・二〇一七)。

また判例【37】によれば、認許をうけて営業する経営内で労働者が、公衆道徳上有害な行為をしたからといつて、この認許をうけた営業に労働者が従事すること自体が公衆道徳上有害な業務に従事するとはいえず、また認許をうけた経営が公衆道徳上有害なものであるとは、むろん、いえないが、労働者が正規の営業に従事しているあいだに公衆道徳上有害な業務をする場合には、その営業への労働者の紹介は、有害な業務につかせる目的で行われたことになり、労働者が有害な業務につくことを取締ることが実際上行われていると否とにかかわらず職業安定法六三条二号違反となる。

【37】「同種の営業が許可されていることが認められるので同営業を目してもとより公衆道徳上有害な業務ということができない。しかし……該営業を営むにあたり、その雇用する婦女をして客に密かに淫をひさぐことを業務と為さしめることは全く認許されていない……従つて婦女の雇用者の業務が正当な職業として認許されていることによつて被用者の婦女が売淫の業務に従事することを以て公衆道徳上有害なものでないと断じ得ないのみならず、婦女の売淫の業務はこれを放任するときは性道徳を頽廃させ、両性の本質的平等の基本権に悪影響を及ぼし、延いて社会共同生活に著しい弊害を与えることは論を俟たないところこれが公衆道徳上有害な業務であることは健全な社会通念の是認するところである……雇用者が正当な職業として認許された風俗営業を営むものであると否と、又、客に売淫させる業務に就かせる目的をもつてする職業紹介が求職者たる婦女の希望によるものであると否と、はた又、売淫の業務に対する官憲の取締の寛大であると否とは違反罪の成否に何等の影響を及ぼすものではない」（福岡高判昭二八・一・三一特二六・一）。

判例【38】および【39】においては、正当な業務に従事する労働者の呼称で雇用されたにかかわらず、雇用の事実上の内容が常時公衆道徳上有害な行為を行なわせるものである場合に、右の呼称と同一の呼称で他の求職者を同一の事業主に紹介すれば「公衆道徳上有害な業務につかせる目的で」紹介したことになる。

【38】「認許された適法な営業に従事する接客婦も亦正当な業務であるから公衆衛生上又は公衆道徳上有害な業務に就かせ

たものと云へないとの原審の認定は……実体に殊更目をおおわんとするものであつて営業そのものは営業の認可を受けたものとしても、その営業施設内に於てその雇用する接客婦に売淫せしめて居り売淫行為が本件雇傭契約の内容となつていることは……窺われ仮令接客婦において合意の上とは云へか様な施設へ接客婦として婦女を紹介する行為は……公衆衛生上又は公衆道徳上有害な業務に就かせる目的で職業紹介を行つたものに該当する」（高松高判昭二八・三・二六特三六・七）。

【39】「本件各あつ旋はいづれもあつ旋先の……業者においてそのあつ旋にかかる婦女をして業者においてもともと営業としている売淫行為に服せしめこれが報酬として当該婦女に対してその売淫行為によつて得た対価の一定割合による金銭を業者から一定日に与えることを内容とする婦女対業者間の契約の成立に在つたことは……明白に認められるところであつて、その各所為は明らかに求人者と求職者との間の雇傭関係の成立をあつ旋したものであるということができる。而して……(施設)が一定の取締法規によりその建物等につき公衆衛生その他の面から特別の監督は受けていても決してその営業として婦女を抱え売淫行為をさせることまで法律上公認されているのではない。売淫行為を内容とする雇傭関係の成立をあつ旋した……所為は……いわゆる公衆道徳上有害な業務に就かせる目的で職業紹介を行つたものとあるに該当するものといわざるをえない」（東京高判昭三一・四・三〇高裁特報三・九・四五二東京高時報七・四・一六五）。

おなじく判例【40】によれば、雇用する労働者に職業的に、すなわち継続反覆して公衆道徳上有害な行為を行わせて利益をうる営業者に、その被用者となろうとする者を周旋することは、公衆道徳上有害な業務に就かせる目的で職業紹介をするものと解される。

【40】「A等は……いずれも、これまで事実上その雇入れた婦女をして売淫行為を職業的に行わせ利益を得ることを営業としてきた者であり本件の婦女らを雇い入れるについても右と同じく同女らをして職業的に売淫行為を行わせる目的で雇い入れ同女も亦これを承諾の上雇われたものであり、Bは当初よりこれを知つてその周旋をしたものであることが認められる」（東京高判昭二八・七・一七特三九・二九）。

また公衆衛生又は公衆道徳上有害な業務につかせる目的で職業紹介又は労働者の募集をすれば、被用者となろうとする者に、かような目的で職業紹介又は労働者の募集をする旨の認識をあたえることを要しない【41】。

【41】「……職業安定法第六三条第二号も公衆衛生上又は公衆道徳上有害な業務につかせる目的で労働者の募集を為せば同条同号の違反とすべく、被用者となろうとする者の認識如何を問うものでなく、まして……被用者となろうとする者に売淫を為すべきことの認識を与えることを要するものではない」（東京高判昭三一・七・一七刑集九・七・七五四）。

なお職業安定法三三条の四は、料理店業、飲食店業、旅館業、古物商、質屋業、貸金業、両替業その他これらに類する営業を行う者が職業紹介事業を行うことを禁止する。これら特定業者が職業紹介事業を兼ねて行うことは、諸種の社会的弊害をともない一般の利益を害し、とくに公衆衛生上又は公衆道徳上有害な業務に労働者を就かせる危険がある。しかし法三三条の四は、料理店等の業者に対し職業紹介を兼業として行うことをみとめることが、いわゆる人身売買的事態を発生する虞があるから紹介先の職種を問わず全面的に職業紹介事業を併せて行うこと、それ自体を禁止するものであり、これに反して法六三条二号は、公衆衛生又は公衆道徳の見地から、これらに有害な業務に就かせる目的で職業紹介等を行うことを、すべての人に対して禁ずるものである。両規定が、それぞれ目的および適用対象を異にすることは、いうまでもない（東京高判昭二九・九・一五東京高時報五・九・三七三）。

六　職業安定法と中間搾取の排除の原則

労働基準法六条は「何人も法律に基いて許される場合の外、業として他人の就業に介入して利益を得てはならない」と規定し「中間搾取の排除の原則」をかかげるが、この原則は、周知のように、人たるに値する労働条件の原則、労使対等の原則、労働者間の平等の原則、労働者の人格尊重の原則および公民権行使の保障の原則とともに労働関係の基本原則を成すもので、いわゆる労働憲章とよばれ、労働保護法の基本原理の一つである。職業安定法が、各人に、その有する能力に適当な職業に就く機会を与えることを目的とする以上、その職業に就く機会にさいして就業に介入する者の行う中間搾取の犠牲にならないように労働者を保護する目的を当然にふくんでいることは、いうまでもない。したがって職業安定法も、原理上は、労働基準法六条のかかげる中間搾取排除の原則に則していることがあきらかである（有泉・労働基準法八四頁参照）。しかし他面において両法が立法目的を異にし、それぞれ独自の存在をもつから、中間搾取排除の原則の作用のしかたも同一でない。

一　職業に就く機会における関与

労働基準法六条の規定は、業として他人の就業に介入して利益をうる行為が中間搾取を生じ求職者の利益を害するので、かような行為を直接に排除することを目的とするに対して、職業安定法三二条以下においては、職業に就く機会を合理的にあたえるために、一方では公共職業安定組織を拡充整備するとともに他方では私的の就業仲介業者の活動する余地を、できるだけ縮減させ、とくに同法三二条の有料職業紹介事業の原則上の禁止、同法四四条の労働者供給事業の禁止または制限、同法三五条以下の労働者募集に対する規制の強化（労働者の募集における中間搾取について、野村・労働法講話二二頁以下）等によって職業のあっ旋、就業機会の提供の機構を合理化して就業の適正な介入制度の確立を期する。論理上は結果的に中間搾取をまねく就業介入が排除されることがありうるということになる。しかし労働基準法六条の規定は、単に他人の就業に介入して利益をうることを禁止するのではなく、かような利益を目的とする介入が反覆継続する意思で、つまり業として行われる場合を対象とする。別言すれば同条は、仲介者が他人の就業に介入し利益をうることを事業として行う場合を排除するものであるから職業安定法三二条の規制の対象となる営利的な私的の就業仲介、職業あっ旋の事業の制限禁止と多くの場合において一致する。そして判例【42】によれば労働基準法六条でいうところの「業として他人の就業に介入する者」は、一般には口入業者とか労働請負業者とか親方制とかよばれる業者が多いが、これは、要件ではなく、暗に継続的な意思で同じような所為をくりかえす者も業として他人の就業に介入する者のなかにふくまれる。これらの業として行われる仲介行為は、いわゆる業者の外見をもつ業態でなくても差支なく、つまり企業の形態をそなえていることを要しない。したがつて、これらの業として行われる行為は、職業安定法三二条または四四条でいう「事業」であり、仲介者は、仲介周旋の「事業を行う者」にほかならない。

労働基準法六条の「他人の就業に介入する」ということは、判例【43】によれば、労働基準法八条の労働関係の当事者のあいだに第三者が介在して、その労働関係の開始、存続等について媒介又は周旋をする意味の関与で、かつ関与と労働関係とのあいだに因果関係のみとめられる場合である。この労働関係は、民法の雇傭関係の成立にあたることもあるが、かならずしも、これにかぎることなく、単なる使用関係でも差支なく、つまり職業安定法でいう「雇用関係」で足りる。問題は、判例【43】によれば、かような労働関係の当事者が、労働基準法八条の労働関係当事者とされていることである。同法八条でいう労働関係の当事者である使用者と労働者は、同法八条の適用をうける使用者と労働者とを意味すると解するならば、同法八条の適用外にある家事使用人の労働関係の開始又は存続に関与することは、同法六条のいう「他人の就業に介入する」ことには該当しない。家事使用人という業務に従事する機会をもとめる者の就業の機会に関与する場合に、関与が業として行われ、且つ利益をうるためになされても労働基準法六条の適用をうけない。このように解することが労働基準法八条但書で個人の家庭生活への公権力の関与をできるだけさける趣旨に合する。しかし家事使用人として雇われる機会をもとめる者は、職業安定法上の求職者であることにかわりはない。また家事使用人の就業に介入する第三者が利益をうることを目的とし、業として介入するのであるならば、同法の禁止する有料の職業紹介を業として行うこと、つまり家事使用人の有料の紹介周旋の事業を行ったことになり、法定の除外事由にあたらないかぎり有料職業紹介事業の禁止に違反する。

労働基準法六条は、他人の就業に介入することを業として、すなわち継続反覆しておこなつて利益をうることを禁止するが、同条違反の行為は、かような継続反覆する意思で介入を行えば、その都度、成立する。中間搾取の行為を個別的に排除するのが同条の趣旨である。これに反して職業安定法三三条・四四条等の中間搾取の排除は、職業に就く機会をあたえるにさいして中間搾取を誘発させる惧のある就業仲介の業態の形成を禁止し、かような業態の所在することを阻止することによつて中間搾取の消滅することを期するのであるから、かような業態を形成させれば同法に違反したことになる。しかし労働基準法六条も、業として他人の就業に介入することを要件の一つとし、業とするとは、すでにのべたように、ある一つの業態であるから、このような業態を成さないで他人の就業に介入して利益をうる行為は、労働基準法六条違反の行為にはならない。この意味では六条の規定は、職業安定法三三条または四四条の規定に、中間搾取の業態の禁圧排除という面において合致する。これに反して六条の規定は、ひとしく職業安定法における中間搾取の排除に関連をもつところの、公衆衛生又は公衆道徳上有害な業務に就かせる目的で行う職業紹介、労働者の募集若しくは労働者の供給の禁止を定める同法六三条二号の場合とは区別される。

【42】「労働基準法第六条の規定は雇主と就業者との間に介在して就業者から所謂「上前をはねる」所為を禁止する趣旨であること所論の通りであるが、その法意はその法条明文に照らして広く法律に基いて許されてない業として周旋する第三者の利益を禁止すること明らかで、その直接うける利益は雇主からであると又は就業者であるとその差異はない。又業として他人の就業に介入する者とは所論のように口入業者、労働請負業者、親方制ばかりでなく暗に継続的意思で同様の所為をくりかえ

す者を含むと解するのを相当とし、従つて紹介者は所論のように外見上業者としての業態を備える所謂企業化されているや否やの如きは問うべき限りではない。職業安定法に関する所謂業の法意前断と同旨である……」（仙台高秋田支判昭二五・四・一二刑裁資五五・六三一）。

【43】「労働基準法第六条にいわゆる「他人の就業に介入し」とは、同法第八条の労働関係の当事者間に第三者が介在して、その労働関係の開始、存続等について媒介又は周旋をなす等その労働関係について、何らかの因果関係を有する関与をなす場合をいい、所論のように民法上の雇傭契約の成立する場合だけに関与することに限るべきでないと解するのを相当とする」（最決昭三一・三・二九刑集一〇・三・四一五）。

二　有料職業紹介事業の禁止との関係

労働基準法六条の規定する中間搾取排除の原則と職業安定法との関係は、すでに一言したように同法三二条の規定する有料職業紹介事業の禁止の場合をあげることができる。判例【44】によれば、求職の申込を労働者からうけていた者が求人の申込に応じて労働者を求人者にあつ旋し手数料を受領し且つ継続反覆する意図のもとで、この行為がなされた以上、それは、業として他人の就業に介入して利益を得るのであるから、労働基準法の中間搾取排除の原則にふれるとともに、法定の除外事由にあたらないかぎり継続反覆の意思で職業紹介を行い手数料等の利益をうければ、営利目的の有料の職業紹介事業を行うことにほかならないから、有料職業紹介事業の禁止にも違反する。

【44】「Tは、法定の除外事由がないのに……五回にわたり……自宅において予ねて求職の申込を受けていたNの外四名をその頃求人の依頼を受けていたOに職人等として働くことをあつ旋し（雇用関係が成立した後）雇主Oから手数料として現金X円を受領し、以て有料職業紹介事業を行うとともに業として他人の就業に介入して利益を得たものである」（最判昭三三・六・一九刑集一二・一〇・二二三六）。

中間搾取排除の原則を規定する労働基準法六条のいう「業として」ということは、さきにのべたように継続反覆する意思をもつて同条の定める「他人の就業に介入して利益を得る」ことであつて、継続する意思があれば行為が実際上一回限りであつても同条のいう「業として」行つたことになる。また【45】によれば、他人の就業に介入して「利益を得る」ということは、就業の開始又は継続に介入する行為によつて金銭その他の財物を得ることであつて、名義のいかんをとわず、また事実上は利得せず、逆に損失であつても該当する。

【45】「たとい、それが（金銭その他の財物を得ることが）被告人より請求したると否と、またその名義いかんや事実上の損害いかんにかかわらざるものと解するを相当とする。……故に苟も原判決認定のごとく、法律に基いて許される場合でないに拘らず数回にわたり他人の就業に斡旋仲介を為し因て金員その他の財物を得た以上労働基準法第六条に該当すること勿論である」（仙台高判昭二四・六・二九特五・一〇）。

三　労働者供給事業の禁止との関係

労働基準法の規定する中間搾取の排除と職業安定法との関係は、労働者供給事業の禁止（職安四四）についてみることができる。労働者供給事業そのものが、つねに中間搾取をまねくものでないことは、職業安定法が労働組合による労働者供給事業をみとめ、禁止の原則に対する例外を定めているところからも明白であるが、過去の経験にてらしてみれば労働者供給の事業を無制限に行わしめることが中間搾取をまねく危険のあることも、また、明白であり、職業安定法は、これを考慮して、労働組合以外の者の行う労働者供給事業を一切禁止する。そして、この禁止に違反する不法また脱法的な労働者供給事業は、判例【46】にあるように同時に労働基準法六条の規定に関連する。

【46】「職業安定法第四四条に労働供給事業の禁止を規定し、更に同法施行規則第四条を置いて請負契約の形式をとつているものであつても、同規則同条第一項各号の要件を併せ具備する場合でなければ、これを労働者供給事業を行うものと認めるとしているのは、これによつて使用者と労働者との中間に立つて賃金その他労働者の受ける利益の一部をはねることを仕事としているものを出来得る限り排斥して、使用者と労働者との間に近代的労働関係を打ち立てようと意図したものであることは明白であり……被告人等はこれを単に一介の労働者として見れば夫々造船各部門の熟練工の名には値しようが未だその請負つたとせられる作業を全般的に企画運営するに足る能力はなく、現実には右作業はいずれも会社側の全般的な企画、指揮の下に運営せられていたものであると認められ、しかもその請負つたとせられる作業について被告人等が前記(1)(2)の要件（職業安定法施行規則第四条第一項第四号の）を充たしていた事実は認め得られない……、しかも右職業安定法施行規則第四条第一項には、請負が職業安定法上の労働供給事業と認められないために前記第四条第一項第四号と同時に請負人の具備すべき要件として同条同項第一号および第三号のごとき規定を置いており、被告人等の請負契約が右第一号、第三号に所定の要件を十分充たしていたものとは証拠上到底認め難く……従つて被告人等の従来の請負契約は職業安定法施行後は到底そのまま適法有効に存続し得なかつたものというの外はなく、職業安定法施行後……職業安定所より右請負契約に関し前記会社になされた指示勧告が従来被告人等が使用して来た労働者を形式的に会社直傭の労働者に切換えれば足るという如き脱法行為を認めるが如き趣旨でなかつたことは証拠上も明白であるから、会社の直傭労働者に切換えた以後に於ては被告人等は右切替前より一層前記第四条第一項第三号の規定の要求を充たすに遠ざかるに至つたことも証拠上明白であつて、その後に於て被告人等が架空労働者の賃金の名の下に従前の請負契約に於けると同様の利得を計つていたのは、その名は請負であれ何であれ実体は明らかに不法な脱法的な労働供給事業を営んでいたものというの外はない。そして被告人等がその会社に供給の労働者に……旅費を貸したとか、いくらかの工具を提供したとか或は自身も作業現場に出向いて働いたとかの事実があつても、それらの分を区別せず架空労働者の賃金の名の下に金員を会社より受取つている以上包括的にその全部を労働基準法第六条に違反して業として他人の就

業に介入して得た利益と認めねばならぬ……」（名古屋高判昭三〇・一二・一二高裁特報三・四・一二一）。

四 公衆衛生上又は公衆道徳上有害な業務との関係

労働基準法の規定する中間搾取の排除と職業安定法の規定する公衆衛生上又は公衆道徳上有害な業務につかせる目的で行う職業紹介、労働者募集又は労働者供給の禁止との関連がかんがえられる。これは、いうまでもなく労働基準法六条と職業安定法六三条二号との関連の問題である。そして公衆衛生上又は公衆道徳上有害な業務につかせる目的で行う職業紹介等は、社会事実としては、中間搾取の最も多く行われる場面であつて、職業安定法六三条二号は、社会共同生活における健全な衛生又は倫理の維持すなわち社会的法益の保全に役立つと同じ程度に事実上、中間搾取の排除すなわち人格的法益の保護の効果をおさめることを期待する規定である。

労働基準法六条は、業として他人の就業に介入し利益をうることを禁ずるものであるが、おなじく職業安定法六三条二号の禁止する公衆衛生上又は公衆道徳上有害な業務につくことをあつ旋する場合には、あつ旋者が一般に手数料、周旋料等の名目で利益をうるのが事実であるから、ここでも、おなじく他人の就業に介在して利益をうることになり、中間搾取が行われる。職業安定法六三条二号は、中間搾取の事実関係では労働基準法六条と同一の作用をいとなむのである。しかし法律上からいえば労働基準法の規定は、他人の就業に介入して「利益をうること」を要件とするが、これに対して職業安定法六三条二号の場合には、利益を得る意図がなくとも公衆衛生上又は公衆道徳上有害な業務に他人の就くことをあっ旋すれば、無料で他人の就業に介入周旋をしても二号の規定する禁止にふれる。また労働基準法六条の中間搾取となるためには、介在者が業として、すなわち反覆継続する意思で他人の就業に介入することが要件であって、業としない介入の場合には六条の規定にはふれない。これに反して職業安定法六三条二号の場合には、業とすることを要せず、反覆継続の意思がなくとも公衆衛生上又は公衆道徳上有害な業務につかせる目的で他人の就業に介入すれば、同条の禁止に違反したことになる。職業安定法六三条二号の場合には、公衆衛生上又は公衆道徳上有害な業務につかせる目的で紹介行為、募集行為、供給行為の行われることを要し、有害な業務でない業務につくことに介入する場合には六三条二号の規定は、発動しないが、労働基準法六条の場合には、公衆衛生上又は公衆道徳上有害でない業務に、あるいは逆に有益な業務につかせるために他人の就業に介入しても業として利益をうるために行えば同条の禁止に違反する。

しかし労働基準法六条の規定に違反して他人の就業に介入することも、職業安定法六三条二号の規定に違反して就業のあっ旋をすることも、いずれも法律にもとづいて許された範囲の外部において行われる所為である点では同一であり、逆にいえば法律の禁止する範囲内で他人の就業に介入することでは、共通している。したがって中間搾取の観点からではなく、公衆衛生上又は公衆道徳上有害な業務に就業させるという観点からいえば、労働基準法六条に該当するためには職業安定法六三条二号に該当する構成要件に「業とする」ことと「利益をうる」こととの二つの別個の構成要件がくわわることを要する。この要件がくわわると一個の所為が公衆衛生上又は公衆道徳上有害な業務につかせる目的で労働者をあつ旋したことであるとともに、同一の行為は、もし雇主又は労働者から、あるいは、その双方から手数料、紹介料等の名目でなんらかの利益をうければ利益をうることを目的したものとなり、さらに、かような介入行為を反覆継続すれば業としたことになり、一個の所為は、労働基準法六条にも職業安定法六三条二号にも関係することになる。

五　想像的競合関係

労働基準法六条の規定と職業安定法三二条一項又は同法六三条二号の規定とに違反した場合については、併合罪としてとりあつかう判例もあるが、最高裁判所は、想像的競合関係にあると解する。

(一)　職業安定法三二条一項の有料職業紹介事業の禁止とについてみれば、法定の除外事由がないにかかわらず、業として求人者たる軽飲食業者に求職者である婦女子を売淫婦として住み込ませて就職の仲介をして求人者から紹介手数料を取得したといった場合に、この行為は、有料職業紹介事業の禁止の罪と労働基準法六条の中間搾取の罪との想像的競合となる【47】【48】。

【47】「労働基準法第六条は、その見出しにもあるようにいわゆる中間搾取を禁止しようとするもので、その違反は直接労働者の利益を害するものとしていわば自然犯的性質を多分に帯びているのに対し、職業安定法第三十二条第一項は、その究局の目的は労働者保護にあることはもちろんであるけれども、直接には、職業紹介事業は政府がこれを無料で行う建前から、有料職業紹介事業を原則として禁じようとするものであつて、その違反はいずれかといえば法定犯色彩が濃く、これによつてみれば、この両者の規定を全然同一性質のものと解することはできず、むしろ両者はそれぞれその独自の存在理由を有するもの

と考えなければならない。のみならず、この両個の規定は、その適用の範囲においても一をもつて他を覆うという関係にならないのであつて、労働基準法第六条に違反する行為がすべて職業安定法の前記規定に違反するものでないことは所論のとおりであるし、また後者に違反する行為のうちでも、たとえば労働基準法の適用を受けない家事使用人の職業紹介を行う事業とか営利を目的としない実費職業紹介を行う事業のごときは、労働基準法第六条に違反しないのである。しからば原判決が被告人の原判示所為を一個の行為で右職業安定法及び労働基準法の二個の法条違反の罪名にあたるものとしたのは正当であつて、職業安定法第三十二条第一項は、労働基準法第六条の特別法であるから前者の違反のみをもつて論すべしとする所論は採用することができない」（東京高判昭二六・一二・二四 高裁刑集四・一四・二二二五）。

【48】「労働基準法六条と職業安定法三二条一項とは各その立法の目的を異にするとともに対象たる行為の性質を異にし、従つて、両個の規定はこれを適用する上において必しも相互に他を排斥するものではない。それゆえ本件被告人の行為をもつて右法条の一所為数法の関係にあるものと判示した第一審判決及びこれを維持する原判決はいずれも正当であつて、なんら法律の解釈に誤りはない。従つて所論の職業安定法三二条一項は労働基準法六条の特別法であるという独自の見解を前提とし、前者のみの適用を主張する解釈は到底採用することはできない」（最判昭二八・一二・一五 刑集七・一二・二四三〇）。

（二）　職業安定法六三条二号と労働基準法六条との関係については、判例【49】は、併合罪と解するが、最高裁判所は、これもおなじく想像的競合関係であると解する。【49】によれば、職業安定法六三条二号は公衆衛生上又は公衆道徳上有害な業務につかせる目的で就業のあつ旋をした一切の場合を、それが有料であると無料であると、業とすると否とをとわず、ひろく処罰の対象とし、しかも一回のあつ旋行為の完了とともに、同罪は既遂となる。これに反して労働基準法六条違反の罪は、法律で許されている場合に該当しないにかかわらず業として他人の就業に介入し利益を得たという場合に限る。したがつて他人の就業に介入しても利益を得ていない場合又は就業のあつ旋を業としていない場合には労働基準法六条違反にはならない。労働基準法六条違反の罪は、いわゆる業態犯にぞくし、業として就業のあつ旋をしたものと認定できる程度に就業介入が継続して反覆されることが予想されるのを原則とする。したがつて職業安定法六三条二号違反の罪と労働基準法六条違反の罪とは、それぞれ犯罪行為の態様を異にし、労働基準法六条違反の罪は、原則として個々の職業安定法六三条二号違反の罪が成立する都度、つねに同時に成立するという性質の犯罪ではない。したがつて労働基準法六条と職業安定法六三条二号との双方に違反したとみられる場合は、一人数罪の場合にあたるのであつて純然たる併合罪と解すべきである。一個の行為で同時に数個の罪にふれる想像的競合とみるのは、あたらないというのである。

【49】「……右の労働基準法違反の罪は右の職業安定法違反となるべきすべての個々の行為それ自体を対象とするのではなくして、同職業安定法違反となるべき行為の中、利益を得た場合に於ける個々の斡旋行為が、業としてしたものと見做される程度まで原則として反覆されたとき、此の一連の行為の累積した全体を評価の対象として把握し、此の段楷に達して始めてその罪が既遂に達したと称し得ることをその特色とするものである。それ故両者は純然たる併合罪であつて右の職業安定法違反に当る一個の行為が同時に右の労働基準法違反の罪に当るということは、原則としてあり得ないから、右の二つの罪が刑法第五四条第一項前段にいうところの一個の行為で同時に二個の罪名に触れる場合に当るものとは解し難い」（広島高岡山支判昭三〇・九・二七高裁特報二・二一・一〇九七）。

これに反して次の【50】でみるように最高裁判所は、【49】の見解を却けたのである。最高裁判所によれば、労働基準法六条違反の罪と職業安定法六三条二号違反の罪とは、犯罪行為の態様を異にするが、さればといつて、ただちに職業安定法六三条二号違反の行為が同時に労働基準法六条違反の罪に該当することは、ありえないと結論してはならない。労働基準法六条違反の罪は、違反行為が業として なされたものとみとめられる程度に反覆されるということを予定し、したがつて職業安定法六三条二号の違反の罪とは、もとより犯罪行為の態様を異にする。かように労働基準法六条違反の罪と職業安定法六三条二号違反の罪とが犯罪行為の態様を異にするのは、犯罪の構成要件が、それぞれ部分的に異るところからくる当然の結果である。しかし反面では両法違反の罪は、他の就業に介入するという部分では重り合うことになるから、犯罪行為それ自体は、いずれの罪名にも該当するというべきである。すなわち違反行為は、労働基準法違反の罪と職業安定法違反の罪との双方に該当し、そして自然的観察によつて、それは、社会事実としては一個の行為とみとめられるから、この場合には一個の行為として評価さるべきであり、一所為数罪の関係にある。したがつてから科刑上、想像的競合として一罪として処断するのを妥当とする、というのである。

【50】「両者（労働基準法第六条、職業安定法第六三条二号）は、その構成要件の中核を為す他人の就業への介入という部分で重り合うものであるから一個の行為であつて両者に該当する場合のありうることを否定することはできない。……その（被告人）所為は、社会事実として観察するときは一個の行為と認められるのであつて刑法第五四条第一項前段の解釈としても、一個の行為にして労基法違反と職安法違反との二個の罪名に触れる場合に当るものと認めるのが相当である……」（最判昭三三・五・六刑集一二・七・一二九七）。

駐留軍労務者の雇用関係

西川美数

一　総　　説

一　判例の概観

駐留軍労務者の雇用関係については駐留軍またはその関係者に使用されているという生活関係の特殊性から一般の雇用関係とは異つた特徴のあることを注意しなければならない。その特殊性は外国軍隊をめぐる特別の生活環境の基盤において雇用の場が一般の職場と異なり永続性と発展性が期待されず寧ろ縮減解消の方向に運命づけられていること、及び職場規律は厳正であり軍の機密保持が高度に要求されていることにあらわれる。したがつてその雇用契約においては職場規律違反に対する責任追及は厳重になされるであろうし、人員整理の必要性の脅威につねにさらされているので、これを訴訟によつて争うことは至難とされる。しかも職場を規律する就業規則とみられる基本契約（昭二六・七・一国〔調達庁〕と軍との間に締結された日本人及びその他の日本国在住者の役務に対する基本契約、改訂されて昭三二・一〇・一発効の日本国と米国との間に締結された基本労務契約となり逐年付属協定によつて延長され現在これが効力を保有している）及び就業規則（基本労務契約を基本として作成され昭三九・九・二二施行）において労務者の地位の保障は右規則の制定に拘らず一般の就業規則よりは低く定められていると見られるから、労務者の雇用契約上の地位は劣悪不安定であることを免れない。

この項に現われる判例は右就業規則制定前にかかるので、そのような雇用契約上の基盤においてなされたものであることをまず念頭におかなければならない。例えば解雇権の濫用の問題について、かかる雇用契約上の基盤を無視して論ずるのは正しい立場ではないと考えるべきであるが、また他の一面には例えば不当労働行為の成否判定の問題のように労働法一般に共通の立場において考察される面も勿論あるわけであつて、保安解雇と不当労働行為の関係はその典型である。そして前者の解雇権の濫用についても一般論と無関係でないことはいうまでもないところであるが、就業規則のある職場ではその適用の当否が論議の中心となるのに反し、これが制定されていない職場と同視され、解雇権の濫用は判断の花形として登場している。すなわち就業規則のある一般の職場で、就業時間経過後に上司の些細な事項に関する命令違反を理由に解雇されたとして裁判上争われた事例は聞かないのであるが、後記七の(二)の【14】【15】では、このような些細な命令違反が理由となつて解雇された事例であつて、第一審では解雇権の濫用として解雇を無効と判定したが第二審ではこれが覆えされ解雇を有効と判定している。このような事例は上級審であるが故に労働者の権利保護の意識が薄れているとして簡単に片付けるべきでなく、軍に使用される労働者であるという基盤を考慮してその当否が検討されるべきである。また保安解雇が権利濫用になるかどうかの点について初期の判例(後記七(三)【16】)は用心深い説明によつてこれを否定しているが、その後多くの判例によつてその結論が支持されている。解雇に正当理由を要しないという判例の一般的考え方に到達するについて大きな影響を与えたといわなければならない。

次に保安解雇が不当労働行為を構成するかどうかの問題は不当労働行為の成否の一般的考え方に関するものであることはいうまでもないところであるが、後記のように同旨の判例を掲げているのを見て単なる機械的羅列として漫然看過しては全くみもふたもないといわなければならない。保安解雇は軍の機密保持上の必要に基づいてなされるのであるが、その具体的内容が明示されないところに特徴がある。当初労働委員会は組合活動家に対する保安解雇は保安上の必要が解雇の決定的理由であるとして不当労働行為を否定していたけれども、東京地裁がこれを不当労働行為と判定してから労委においてもこれに同調するに至つたと見られる。

このような経過は本稿においてこれを取り上げる余裕がないけれども、法律問題に対する考え方の歴史的検討はこの忙しい現代において看過され勝であるが、駐留軍の雇用関係について重要な素材が提供されていることは注目を要するところである。

二　駐留軍労務者の雇用契約の概説

駐留軍労務者というのは占領下における米軍及び英連邦軍又はその関係者に雇用され若くはこれらのために労務を供給する者を広く指称したが、講和条約発効後は米軍のみとなつたので、駐留軍とは米軍を指すことになる。英軍の労務者についてはいわゆる直接雇用方式がとられ別段の条約協定の定めがないのでその雇用関係については日本法規が適用されると解される。

米軍又はその関係者に対する労務は行政協定により日本当局の援助によつて充足され日本の国内法

規によつて規律されると定められている。そしてその労務者は直接雇用（ＤＨ）と間接雇用（当初ＬＳＯ）の二種に分れる。

（一）　直接雇用（Direct Hide）　　米軍又は歳出外資金による機関（ＰＸ等がこれに属するかどうかは事実上の問題であつて米国における機構の問題であり第三者たるわが国にはわかりにくいものである）クラブ、ホテル、個人等が直接雇用するもので、もとより通常の雇用と異るところはない。

（二）　間接雇用　　旧行政協定一二条四項には「合衆国軍隊又は軍属の現地の労務に対する需要は日本国の当局の援助を得て充足される」と定められ、同二六条により日米合同委員会によつてその具体的方法が定められるが、前記基本契約によれば、調達庁は都道府県知事にこれを委任し、知事はこれを渉外労務管理事務所（労管）に事務委任している。米軍は所要の労務について労務提供要求書(Labor Service Order　基本労務契約においてはＭＬＣ労務要求書）を労管に交付して求人の申込をすると労管はその斡旋をして軍に労務者を供給するのであるが、軍のＯＫする労務者は基本契約一〇条により「この契約によつて供給される人員はすべて契約者側（日本政府）の被雇用者であつていかなる場合でも米国政府の被雇用者とみなされない」とされているので雇用者は日本政府であるが、使用者は米軍ということになる。この関係は基本労務契約においても変りはない。なお、労務者の身分は公務員ではないとされるが、昭和二七年法律一七四号「日本国との平和条約の効力発生及び日本国とアメリカ合衆国との間の安全保障条約第三条に基く行政協定の実施に伴い国家公務員法等の一部を改正する等の法律」により講和発効の日以後は国家公務員でないことを明定している。その雇用関係については旧新行政協定一二条五項により日本国法が適用される。

三　判例に現われた問題点

(イ) レイバークローズに関するものと、(ロ) 直接雇用と間接雇用に関するものとに大別することができる。前者は特殊のものであるので、この点の判例を説明する。

レイバークローズとは日本商社が米国政府との間に軍需品の製作修理に関して締結するものであって、「本契約の作業の遂行若くは役務の実施に当らせているいかなる従業員も契約官または代理者が文書をもつてその者の雇用の拒否若くは解雇方を請負者に通告後は請負者はその組織の如何なる部分においてもこれを雇用し若くは雇用済の場合は留め置くことをなさざるものとする」。旨の約款をいうものであって、賠償工場に指定され米軍の管理下にある商社として米軍の要求があれば、その解雇理由の妥当性を問わず従業員を解雇すべき拘束を受ける契約条項の効力が問題とされた。

【1】「会社側は占領下における役務契約の性質がわが国内法に優先する法規範である以上、この約款は会社をも従業員をも拘束し米軍の一方的解雇要求に応じ会社は直ちに指名された従業員を解雇せねばならず、被解雇者も国内法によつて解雇の効力を争うことができないと主張した」のに対し判示は「右契約条項は単なる私法上の契約であつて米軍によつて設定された法規範ではない」としている。

次に米軍の解雇要求の理由は「米国政府の責任において保安上の見地から好ましからざる労働者を排除することの要求」であつてその具体的理由を示していないからかかる要求に基いても会社の就業規則六〇条の「已むを得ない事業上の都合によるとき」に当らないし、解雇権を濫用するものであるとの主張に対し、判示は「工場の管理権は米軍の握つているところであるから厳格な役務契約のもとに軍作業を完遂することによつて経営の維持存続を図るほかない会社として米国政府との契約条項に従いその要求を容れることは経営権の存立の安全を自ら放棄しない限り万已むを得ない措置である。こうゆう場合に契約条項に従つて労働者を工場から排除することは就業規則六〇条にいう已むを得ない事業上の都合によるときに該当するのであつて、これをもつて解雇権の濫用ということはできない。」としている（東京地決昭二七・一〇・二一労民集三・五・四七四）。

この裁判は商社と米国政府との間に結ばれた役務契約の効力が争われたところに特徴があるが、法令に特別の規定のない以上判示は妥当というべきであろう。

次に米軍の解雇要求に基き解雇義務を負担する役務契約は後出の基本契約に基く附属協定六九号、基本労務契約の細目書F節Iに定める保安基準設定と類似するので、その項の説明に譲るが、米軍の解雇要求に基き就業規則の会社の都合上已むをえない事由の規定によつて解雇がなされたところに保安解雇と異る。

右就業規則の解釈並にこれを適用してなされる解雇の適否は一般論に譲るほかはないが、役務契約の妥当性が問題となり一般商社として第三者とこの種の契約をしたことを理由として右就業規則を適用して解雇することは原則としてその適法性が疑われるであろう。しかし本件においては賠償工場に指定され米軍の管理に服している特殊の関係にあるところから役務契約の締結されるに至つた特別事情を無視できないわけであつてその故に解雇要求が具体的妥当性を持つていなくても右就業規則の適用が不適法視されないとする判示は不当であるとはいえないであろう。この関係はショップ約款に基く解雇義務（法律の認めた労働協約に基く義務であつても解雇の妥当性は更に検討を要すべき問題であり、協約上の形式的義務というべきである）と似ていて興味深い問題とされよう。
(ロ)の直接雇用と間接雇用の点についてはさらに項を分けることにする。もつとも問題の性質によつては両者に共通であるわけであるが、これを更に細分することは繁雑であるので、本稿では別項目に掲げないことにする。

二　直接雇用関係における問題点

一　行政協定にいわゆる歳出外資金による機関は米国の機構によつて定められるところであるが、わが国においてこれを判定するに事実認定上の困難がある。

【2】トウキョウ・シビリアン・オープン・メス解雇事件（東京地判昭三二・三・一六労民集八・二・二五三）。
【3】三沢空軍基地将校クラブ救済命令不履行事件（青森地決昭三一・二・一四労民集七・一・一〇七）。
【4】ジャパン・セントラル・エクスチェンジ解雇事件（横浜地決昭三五・五・一九労民集一一・三・五二七）。

右事件における経営体はいずれも歳出外資金による機関に属し米国政府機関であると認定し、これらの機関と労務者との間の解雇の効力を争う訴訟又は労働委員会の救済命令の違反に基くわが国の裁判権は存しないと判定している。

これに対し基地労務連絡士官と直用労働者との雇用関係について、福岡地判昭三一・三・二三（労民集七・二・三五九）は、私人間における私法上の契約に基く法律関係であるとして労務連絡士官からなされた解雇についてわが国の裁判権を肯定しているのは特異の見解とみるべきである。

二　労務連絡士官の雇用契約上の地位について、青森地裁八戸支部判決は、否定的見解をとり

【5】「三沢基地将校クラブの労務者から同基地労務連絡士官に対する解雇の効力停止の仮処分申請において右解雇後同クラブから労務者の雇入れ解雇に関する権限を委任された労務連絡士官において右解雇に関する権利義務まで承継したことの疏明を欠く」（青森地八戸支決昭三一・九・二八労民集七・六・一一一四）。

として却下している。これに対し、福岡地裁判決は、肯定的見解をとり

【6】「板付空軍基地将校クラブは直傭労務者の使用者としたが、それ自体独立して労務者を雇用する機構を有しないので、労務連絡士官に雇用事務を委任しているものと認め、労務者の雇用主を労務連絡士官」（福岡地判昭三一・三・二三労民集七・二・三五六）。

と認定した。そして前記のように同士官に対し賃金支払の仮処分命令を発したが、東京地判昭三五・五・二三（労民集一一・三・五四五）は右命令は士官個人を相手方としたものでなく士官が将校クラブのために所持し管理している財産に対し執行すべく発令されたものと解している。なお、青森地決昭三一・二・一四（労民集七・一・一〇七）は、将校クラブの秘書官に任命され、労務者の雇入れ解雇の権限を有する経営責任者が直用労務者に対し使用者たる地位を有することを否定している。

三　間接雇用関係における問題点

一　知事の被告適格

国に雇用された労務者が解雇の効力を争う雇用契約存在確認訴訟（解雇の無効を主張して訴訟上の救済

を求める労働事件は周知のように仮処分手続が利用され、その救済命令は雇用契約上の権利を保全するための必要にして相当と認められる内容のものであるから、その申請及び救済命令の内容は初期には解雇の効力停止なる文言で表現され後に雇用契約上の権利を有する地位を定めるという形式が採用されているが、その本案請求権は雇用契約存在確認であつて何月何日の解雇が無効であるといつた過去の法律関係の無効を訴訟物とすることは許されない）においては雇用契約の相手方当事者である国が被告となるべきであつて、国の機関とみらるべき知事は被告適格を有しないというべきである。横浜地裁決定は、この考え方をとり

【7】　神奈川県知事を相手方として解雇の効力停止等の仮処分申請がなされたのに対し、同知事が「調達庁設置法第一〇条により駐留軍労務者の雇用、解雇等の事務を国の委任により国家機関として執行しその効果は国に帰属するから、その法律関係に関する訴訟について知事にその訴訟を担任させる規定のない以上知事に被告適格は認められない。国家行政組織法一五条、地方自治法一四六条は知事が国家機関として事務を管理執行する場合に主務大臣の命令が地方自治の本旨に違反する場合のあることを慮り地方自治尊重のため一時その命令の強制を抑制した規定であつて、これらの規定により国家機関としての都道府県知事にその管掌事項について訴訟を担任せしめたと解することを得ない」（横浜地決昭二七・一〇・六労民集三・五・四六五）。

としている。

ところで労働委員会のなす不当労働行為の救済命令における使用者側は必ずしも雇用契約上の雇用者のみに限られないで、労働委員会という行政庁が労組法の規定する不当労働行為に対する救済制度の精神に照し、その救済の目的を達するに相当と考えるような使用者側の権限を有する者に対しても救済命令を発しうると解釈するのが通説的見解といえよう。このことは不当労働行為の救済に関する

一般的な問題であるので、ここにその見解を検討することはその場ではないので省略するが、右の見解に基いて労働委員会では駐留軍労務者の不当労働行為とされる解雇については国から解雇の決定を委任されている都道府県知事に対して救済命令を発することが慣例的取扱となつている。つまり、労委は不当労働行為の救済について知事はその相手方たる適格を有するとしているのである。例えば、京都地労委昭二七(不)二一号事件同二七・二・一一命令では「駐留軍労務者の雇入解雇等の事務は調達庁長官において都道府県知事に委任しているので、米軍のなした不当労働行為について知事は究局の責任者であり、その救済申立につき知事は当事者適格を有する」とし中労委命令も同趣旨に出ている。しかし、文書の配布につき不当労働行為を認め右と同趣旨に出て宮城県知事に対し救済命令を発した宮城地労委昭二九(不)第一一・一二号命令に対し中労委昭三一・一・一一命令はこれを取り消し救済命令を棄却している。その理由は一般に軍のなした不当労働行為について知事がその責任を負うべきであるが一般の場合と比べて限定的に考えるべきだとし文書配布の経過事情などに鑑み知事に責任ありとし救済命令を発するのは無理であるといつている。これに対し、木村慎一氏は季刊労働法第二一号において中労委の判定に反対し労委の考え方に賛成し、また佐伯静治氏は労委の右基本的な考え方に賛成している(季刊労働法第八号参照)。

二　軍が労働者に対し直接になした解雇の効力

軍直接の雇用関係では団体交渉は困難であり、その他労働法規の遵守も期待薄であるから国が雇用者となる間接雇用の方が労働者にとつて利益であろうが軍に解雇権を認めたのでは間接雇用の実益がなくなり、したがつて軍に労働者の直接解雇権を認めるのは不合理でありかつ法律上の根拠もないとの見解がある（前掲、佐伯・季刊労働法八号二八頁）。これに対し大津地裁判決は、軍の解雇権を肯定し

【8】　基本契約七条に「駐留軍労務者は駐留軍の指揮監督管理をうけ駐留軍においてこれを引き続き雇用することが米国政府の利益に反すると考える場合には直ちにその労務者の職を免しスケヂュールAの規定によつてその雇用が終止される」とされスケヂュールAには賃金労働時間その他の労働条件と共に解雇の予告は日本政府又は駐留軍が直接労務者本人に対し文書をもつて申渡すべきことが定められているので、国と労務者との雇用関係は基本契約の基盤に立つているから解雇についてその条項に従つて規律されるのは当然であり、また労務者に支払われる賃金等は米国政府から日本政府に償還されるという特異な関係からして軍の直接解雇を認めるのは合理的な理由があるのであつて、労務者は基本契約に拘束され従つて右規定に基き軍の権限ある者によつてなされた解雇の意思表示は効力を有する」（大津地判昭二八・三・一四労民集四・一・六一）。

と判示している。

しかし、基本契約とスケジュールAにより国が軍に解雇を委任したもの、すなわち解雇について代理権を付与したものと解されるのであつて、かかる権限付与を無効と解すべき根拠はない。したがつて、解雇について右規定によつて規律されるのが当然であるとか、合理的根拠があるとか、右規定が就業規則と同視され労働者を拘束するとか、の点は無用の論を展開しているとしか考えられない。なお、軍が解雇の意思表示をしたかどうかは事実認定の問題であるが、大阪高判昭三二・八・二九（労民集八・五・七九九）は「基本契約七条による軍の雇用終止処分は国から労務者に対し解雇の告知がなされない限り

雇用関係は存続する」と判示しているが、右の趣旨が軍に解雇権がないとの意味であれば賛成できないし、雇用終止処分は解雇の意思表示がなされたものと解釈するのが相当ではないかと考える。もつとも実状は軍の要求に基き都道府県知事が解雇の意思表示をしている。

三　労働協約中の「雇入解雇に関する事項については協議会で協議決定しなければならない」旨の条項の解釈

労働協約に定める解雇の協議約款、同意約款の適用に関する裁判上の争は昭和三〇年を過ぎる頃まで盛に現われていたのであるが、駐留軍労務者についても特別調達庁（後に調達庁）と駐留軍労働組合との間に締結された労働協約中の前記約款の効力についての争が同じ頃まで裁判例に現われている。そしてその争は解雇について協議会で協議がなされたかどうかの点ではなく（雇入、解雇について具体的の場合に協議がなされる慣行はなく、また協議がなされたとの主張はない）右協約の趣旨が具体的個々の場合に協議義務を負担させたかどうかの解釈上の点についてである。

右協約の文言が雇入解雇についてといわないで、雇入解雇に関する事項と表現されているから、その一般的基準を指していると読むのが素直であろう。大津地前掲判決は解雇に関する事項といっているのは一般的基準を意味するものと解すべきであるとしている（同旨、東京地決昭二八・四・一〇労民集四・二・一七八、札幌地判昭二九・四・一三労民集五・二・二〇七、札幌高判昭二九・一〇・二二労民集五・六・八一〇、東京地決昭三〇・八・二三労民集六・五・五七三）。

四　基本労務契約所定の人員整理基準の効力

文書にされた人員整理基準が就業規則と同様の規範的効力を有するかどうかについて裁判例はこれを積極に解している。ところで国と軍との間の基本労務契約はその文字のとおり契約であることに間違はないが（契約書の形式は勿論就業規則ではないが、施行された前記就業規則は概ね基本労務契約に定めるところを引用しているので、内容には変更はなく、就業規則の形式によりすつきりさせている）、労務者との関係では雇用者側の内部関係における意思にほかならないから形は契約であつても雇用者側の一方的意思表示と見るべきである。福岡地判昭三五・一一・一六（労民集一一・六・一三一四）は右人員整理に関する基準は就業規則と同様の効力を有するものと解し、これに違反する解雇を無効と判定している。次にこれと関連して附属協定六九号保安基準に関する協定（基本労務契約では第九章保安上の危険の項に規定されているが問題点は変りがないといつてよい。）の効力の問題と保安基準該当の解釈問題がある。

五　保安基準に関する協定の効力

駐留軍労務者の雇用関係については軍の機密保持の要請に基き労務基本契約附属協定六九号および基本労務契約細目書F節I（後に改訂されて第九章保安上の危険の項の規定）に保安基準が設定されていて、この規定に基く保安解雇がその特色として考えられる。右規定は前記と同様形式は契約であつても使用者の労働関係を規律するものであるから就業規則に相当するものと解釈すべきであろう。東京地判昭三〇・一二・二二（労民集六・六・一一八九）、同昭三一・八・二〇（労民集七・四・七一五）、福岡高判昭三二・一一・二五（労民集八・六・九四〇）、福岡地判昭三三・一二・九（労民集九・六・九七七）は保安基準設定に関する協定は国が一方的に制定した労働条件に関する基準にほかならないから就業規則に準ずる効力を有するといつたり就業規則に定めた場合と同様といつた理由で、国、米軍、労務者間に拘束力を有すると解している。

六　保安基準該当事実

就業規則において解雇基準が規定されたときはその基準たる事実（労働者の責に帰すべき作為、不作為の存在、または已むを得ない会社側の都合と評価されるべき客観的事実関係）の存在が要求されていると解釈されるのは疑問の余地のないところである。例えば、解雇基準として上長の指示命令に不当に反抗したという場合を取り上げてみても、右規定に該当する客観的事実の存在が要求されていることはいうまでもない。このことは就業規則の規定に現わされている文言からして当然のことであり、その故に就業規則によりその趣旨に労使双方が拘束されるという規範的効力の意味があるところであり、就業規則が一面において労働者保護に作用するといえるところである。しかしながら、このことから解雇基準が当然に労働者に有利の規定であるとの解釈を導き出すものではない。ここに有利というのは就業規則の解雇基準が基準法二〇条の規定よりは労働者に有利に規定されているという意味であり、すなわち基準法二〇条によつて本来使用者の有する解雇権を使用者に不利益に制限しているという意味であることはいうまでもない。そして一方には就業規則の解雇基準によつて基準法二〇条の解雇権より使用者に有利な解雇権を規定することは同法九二条によつて許されないところであるから結局就業規則による解雇権は基準法二〇条の解雇権と同様のものであるかまたはそれよりは使用者に不利のものと解釈されなければならないということになる（懲戒解雇はここに直接関係がないけれども基準法二〇条一項後段の即時解雇権よりは使用者に有利な解雇権であると解釈することの許されないことは右の理論から明らかなところであり、したがって解雇の効力に関する限り就業規則に定める懲戒解雇権が労基法二〇条の即時解雇権と異つた使用者に有利な解雇権と解釈する通説的見解は無意味であるかまたは基準法に違反する考え方であることが知られるであろう）。つまり就業規則によって基準法二〇条と同様の解雇権を規定したか、または使用者に不利益に制限するかは就業規則の文言による基準にかかっているということになる。そこで保安基準という解雇基準がどのような要件事実を要求しているかが問題となるわけであるが、それは右に述べるところにより規定の文言と基準法二〇条に違反しないという制限のもとに解釈されることになるわけである。

ところで保安解雇は米軍が保安基準に該当すると認定した労働者は解雇されると規定されているから要件事実として米軍の右にいう認定が先ず問題となり次にかかる解雇が基準法二〇条の保護法に違反しないかの問題が提供される（後者は次項に述べる）。

東京地決昭三〇・四・二三（労民集六・三・三五七）、東京地判昭三〇・一二・二二（労民集六・六・一一八九）、同昭三一・八・二〇（労民集七・四・七一五）、同昭三二・一・二一（労民集八・一・一四九）、福岡高判昭三二・一一・二五（労民集八・六・九四二）、東京高判昭三二・一二・九（労民集八・六・一〇三）、福岡地判昭三三・一二・九（労民集九・六・九七七）、東京地判昭三五・五・二五（労民集一一・三・五六三）、同昭三五・九・一九（労民集一一・五・九五六）、同昭三五・一二・二六（労民集一一・六・一四八六）は「保安基準設定に関する

協定は保安基準に該当事実存否の認定の最終決定権を軍に保留させたものであること、保安基準に該当するかどうかの判断は米軍の主観的判断にゆだねられていること、したがつて軍の主観的判断と関係なく保安基準に該当する事実が客観的に存在する場合に限つて保安解雇をすることができるとする趣旨とは解せられないから保安基準該当事実が不存在であつても保安解雇を無効とすることはできない。」という趣旨に一致している。つまり判例の見解は保安解雇に関する協定は就業規則の解雇基準に関する規定と同様の拘束力を有するけれども、保安基準該当事実の客観的存在は解雇の要件ではなく、軍の主観的判断で足りるというのである。規定の文言が軍の認定するところによるとしていることから、この判断に到達するのはやむを得ないところであり、したがつて一般の就業規則の規定が客観的事実の存在を要件としているのと甚しく趣を異にするところがその特徴であつて、いわゆる尻抜けの規定といわなければならず解雇基準設定による労働者保護の実益は極めて薄いといわざるを得ないわけである。

次に保安基準該当事実はこれが存在するとの軍の主観的判断にまかされているけれども、その口実の蔭にかくれて左翼思想を好ましくないとして差別扱をしようとする意図があるように疑われないではない。しかし、東京地裁判決はこれを否定し

【9】「軍が基本労務契約附属の細目書F節Iにより労務者の解雇を要求しうることを定めたのは、軍隊が極度に機密を重んずることからして当然のことであり、その列挙する理由も軍隊の保安上危険とみなされてもやむを得ない場合であると考えら

れるから、この制度をもつてたんなる思想信条などによる差別待遇を許容しようとするものであるということはできない」（東京地判昭三五・九・一九労民集一一・五・九五七）。

としている。つまり軍の主観的判断に過ぎないものであつても保安上危険であるとすることは軍の特殊的立場上その合理性を否定することはできないとし、その規定の趣旨は労基法三条に違反すると解釈し得ないと判示したものであつて、その妥当性は否定し得ないであろう。

七　解　雇

労基法二〇条の予告解雇（一項前段）の解釈をめぐつて解雇に正当理由を要するかどうかの論議は昭和三〇年過頃まで盛に展開された。そして前記のように駐留軍労務者の雇用関係については就業規則とみられるべき基本契約の解雇基準に労務者の非行とされる客観的事実の存在が要求されず、したがつて解雇権の制限が実質的になされていないので、解雇権の濫用が争の重点となつて現われた。また人員整理については基地縮小の運命から屢々その処置が採られたのであるが、整理の必要性はこれを争う資料収集の困難とともに労働者側に争う熱意を失わさせたと推測されるし、また整理基準が先任の逆順（勤続年数の少ない方から）という機械的なものであるため不当労働行為意図は抹殺されるという特徴が見られる。

（一）　人員整理

軍の基地における予算削減という既定方針に基く人員整理において整理されるべき人員を具体的に

どのように決定するかは一般の場合と趣を異にすることはいうまでもない。一般の職場では赤字経営に伴う職場における冗員の有無が先ず問題となり次には廃止縮小すべき職場の選択に伴う冗員の算出が問題となるのであろう。しかし駐留軍労務者の場合はこの問題を超えた緊急措置であるから職場単位に余剰員を算出する余裕はなく、整理を既定事実として、各職場の人員の削減または職場の廃止を余儀ないものとし、その必要性又は妥当性の評価を許さなくさせられ、それが強行措置としてなされるべく運命づけられている。

人員整理による解雇には一般解雇の場合と同様に解雇権の濫用と不当労働行為が問題となるのであるが駐留軍労務者の場合には右の事情から解雇権の濫用と不当労働行為の立証は甚しく困難であるといわなければならない。判例もこれを消極的に判定し

【10】「全駐留軍労働組合、国及び駐留軍の三者間で人員整理基準が定められ、人員整理をする場合には作業単位における職種別に人員を指定し先任の逆順に順次解雇該当者を選定すべき旨の条項がある場合火薬廠における人員整理につき従来の作業単位によらず新に軍の指定した作業単位を火薬貯蔵部（ストレーヂ・ブランチ）内の細分単位である現場班（フィールド・ユニット）に限定することが作業遂行上必要のない措置であるとはいえないし、人員整理によつて特定の労働者を排除するための措置とも推定できないとの理由で解雇権の濫用にならない」（東京地判昭三〇・一二・二四労民集六・六・一二〇一、東京高判昭三三・二・二〇労民集九・四・五八七）。

と認めている。また配置転換について判例は解雇無効の主張を退け

【11】「労務基本契約細目書Ⅰ、H、節第五項に定める人員整理に当つては配置転換をしなければならないのに、これをしなかつたから手続に違反し解雇は無効であるとの主張に対し、他の職場職種の欠員につきその具体的内容欠員等を認めるべき

資料が認められない以上転職の機会を与えなかつたからといつて解雇は無効とならない」（福岡地判昭三五・一一・一六労民集一一・六・一三一五、福岡高判昭三八・三・七労民集一四・二・三九九）。

と判定している。これに対し、調整義務懈怠を認め

【12】「保安解雇の意思表示の効力を停止する仮処分を得ている労務者に対し基本労務契約七条C及び同細目書I、H節に掲げる整理解雇を最少限にするため配置転換等雇用安定のための調整義務があるのに拘らず調整措置を行つたこと及びこれを行い得なかつたことにつき合理的理由があつたことを認める資料がないとの理由で右調整義務に違反した予備的解雇を解雇権の濫用に当るとして無効」（福岡地判昭三七・一一・一三労民集一三・六・一一一八）。

と判定した例がある。しかし、調整義務を怠つたとの事実認定は疑問であろう。

（二） 解雇権濫用の成否の事例

保安解雇と解雇権の濫用の成否は次項に譲り本項ではこれを除いたものとする。

(1) 職務上の義務違反の故に解雇を有効とし

【13】運送貨物の積荷作業に立会い個数検査数量記録等の業務に従事する検数員係長が送り状に記載のビールの数量が検数員の報告した数量より四、七〇〇箱少かつたので、検数員の報告数量をそれだけ減少して報告したことに訂正させて軍に報告した事案に対し、「数量の不一致をそのまま軍に報告せず事態を糊塗しようとしたところに職務上の義務違反があるので、そのためになされた解雇は厳重な規律に従うべき駐留軍労務者としての信頼関係が破られた」（東京地決昭三〇・八・二三労民集六・五・五七三）。

として解雇権の濫用を否定している。

(2) 解雇権の濫用を肯定した第一審判決が高裁で覆えされた例

【14】「原告は駐留軍用船操舵手であつて技倆勝れ、勤務成績極めて優秀のところ、前日来の勤務が終了し居室の寝室に戻

つて就寝したとき作業監督官である軍曹から舷窓を開けるよう二、三度命令されたのに対し当直でない旨答えてこれに従わなかつた。しかし勤務時間外であるので、特別の事情のない本件では右は命令違反又は職務怠慢として非難するのは当らない。したがつて職務遂行怠慢等の理由に藉口してこれを解雇することは社会通念上肯認される倫理観念に著しく違反し正当な解雇権の行使として是認することができず、信義則に違反し権利の濫用して無効である」（東京地判昭三一・九・二四労民集七・五・九六七）。

これの控訴審である東京高裁判決は次の理由で解雇を有効と判定した。

【15】「右軍曹は船員に命令する権限を有したこと右労務者は軍曹の船員に対する態度が傲慢であるとして反感を抱き常にその感情を態度に表わしていたこと、前に認定のような事態が発生し重ねて数回言われて舷窓を開けたが、これは勤務時間外における作業を拒否したということではなく、軍曹に対する反感を直接明瞭に表示したものであること、軍曹は労務者の右態度に憤激し処分を求めて解雇されるに至つたのであるが、労務者の右態度は相当と認め難いところであるから雇用契約の継続を希望しないで解約申入をしてもあながち権利の濫用と目することはできない。労務者が朝鮮動乱中には危険水域に出動したこともあり、これまで事故なく職務を遂行したことは右の判定を覆えすに足りない」（東京高判昭三二・八・六労民集八・四・五一六）。

とした。東京地裁の判決については季刊労働法二三号判例研究に賛成の批評がある。

（三）　保安解雇

前記のように施行された就業規則七条は現行の基本労務契約第八章を引用し、従業員の行為として戒告、減給、出勤停止、解雇に当る行為を具体的に詳細に列記しているから一般の就業規則と同趣旨に列挙の行為以外の行為によつて責任を問われることがないとして身分を保障しているが、同様就業規則に引用される第九章の保安上の危険の項による解雇については、「従業員は次の基準に該当すると認めるに足りる十分な理由がある場合には保安上危険であるものとみなされるものとする。」と規定していて基準該当事実は従前と大差がないけれども、「認めるに足りる十分な理由」という不明確な概念で保安解雇を留保している。従来は「該当事実ありと認め」たときと全く主観によらしていたのを、認めるべき十分な理由を要件に加えたところに保安解雇を制限したものと解され、やや客観的要件を加味したことは否定できないところである。これにより判例上保安解雇事件が著しく減少したものと推測されるし、また保安解雇が不当労働行為と認められる危険を少くしたものともいえよう。

しかしながら、保安基準該当という客観的事実は現行の基本労務契約第九章保安上の危険の項の規定によつて「従業員は次の基準に該当すると認めるに足りる十分な理由がある場合には、保安上危険であるものとみなされるものとする。」とされるから、次に掲げる基準該当事実の存在は保安解雇の要件（又は解雇権の制限事由）ではなく、かかる事実を認めるに足りる十分な理由が要求されている に過ぎないわけであり、それは結局基準該当事実を認めるべき証拠またはその事実の存在を推測させるような情況事実（間接事実、徴憑）の存在で足りることになるから一般の就業規則が規定する労働者側の非行とされる客観的事実または使用者側の解雇の手段に出ることを余儀なくされたいわゆるやむを得ない事由の存在を要件とするところとは著しく趣を異にするといわなければならない。このことは前にも述べたところであるが、これが保安解雇の特徴であつて解雇権の濫用の成否と不当労働行為認定の特殊性が見られるのである。

(1)　保安基準該当事実の不存在と保安解雇の効力については右に述べたようにその不存在は解雇の

効力を妨げるものでないとするのが判例の一貫した態度であり、その事例は前記六を参照されたい。

(2)　保安上の理由というだけを解雇理由とするのは解雇権の濫用となるか。

【16】「解雇には正当な理由を要するものと解すべき法令上の根拠に乏しく解雇権の濫用が許されないものと解するのが相当である。しかも解雇権の濫用となるかどうかの基準は労働契約の性質によつて異なりこれを一率に論ずることができない。高度の信頼関係を必要とする雇用契約にあつては高度の信頼関係の存続することを必要とし、その信頼関係の存続が疑われるような事由がある場合には必ずしもその事実の存在が客観的に証明されなくても解雇することも亦やむを得ない場合もある。申請人Kは米軍基地における消防隊の雇用者であり、申請人Yは基地の弾薬庫の雇用者で、いずれも切迫せる情勢下における米軍の基地の重要な任務に当つているものであつて、米軍としてはこれに対して高度の信頼関係を要求することは、無理からぬことである。軍が「保安上の理由」と称してその理由を明示しなかつたとしても、軍隊において「機密保持」の要請の存在することも否定できないのであつて、わが国が日米安全保障条約や行政協定に基き、米国軍隊がわが国で軍事基地を有することを認めている以上「機密保持」の権利は軍事活動に必然に伴うものとして、わが国法上もこれを尊重しなければならないとし、またこのことを当然の前提として雇用関係を結んだ労務者は、その結果を忍受することもやむを得ないことである。ただ米軍が「保安上の理由」に藉口して不当に労働者の解雇を要求したと認めるべき特別の事情のある場合には格別であるが、本件の解雇に当つては、保安上の理由に藉口して不当な解雇をしたと認めるべき証拠がないばかりでなく、講和後もY基地において解雇せられた例は相当あるが、保安を理由として解雇せられた例は殆んどなかつたこと、駐留軍は労委の勧告により解雇の要求を撤回した例のあることも疏明せられておるに拘らず、本件については解雇事由の明示や再調査の要求に対しても、終始これに応ぜず、解雇の方針を固持して譲らなかつたことは前に述べたとおりであるから、これらの点から考えて、ただ「保安上の理由」に藉口して解雇を要求したものとは認め難い。なお米軍の基地管理権は行政協定によつて認められた強力な権能であり、米軍が労務者の立入をあくまで拒否する以上、国としては、米軍に対し労務者の基地への受入れを強制する方法もないのであるから、このような雇用形式をとつている限り、国としては米軍に労務を供給する目的で雇入れた労務者の雇用関係

の存続の理由を失うことになる」(東京地決昭二八・四・一〇労民集四・二・一八三)。

右の事案については佐伯静治氏の季刊労働法八号「駐留軍労務者の解雇について」に批評があるので、これと対照して考え方を検討しよう。

解雇に正当理由を要するかどうかの点は基本問題であつてこれを取り扱うのは本稿の目的ではない。最近横井芳弘氏の季刊労働法四九号解雇の自由の法構造を参照されることを希望する。

判例は解雇自由説をとり解雇権の濫用の理論(民一)で解雇を制限しようとする。そして濫用論と正当事由を要する論との相違が問題の中心として提供される。

前掲七の(二)【15】の高裁の判決は解雇権の濫用を否定した。この場合に若し解雇に正当事由を要するとの考え方をとつたと仮定すると、果して正当事由があるとの結論に到達したであろうか。恐らく消極であつたであろう。それがつまり正当事由がなければ解雇の効力がないとする考え方(正当事由の存在は使用者側の立証責任)と濫用でなければ解雇は有効(濫用の存在は労働者側の立証責任)との相違が考えられる。

したがつて、判示の濫用の場合に解雇が無効となるとの冒頭の考え方は以後の判例の通説的見解の先駆をなしたものといえる。

判示は解雇権の濫用の成否の基準は労働契約の性質によつて異なり一率に論ぜられないとしている。ここにいわゆる性質とは労働契約が締結されるに至つた客観的背景による区分を意味するものと解されるが、濫用の成否判定の基準にはこのような客観的抽象的な性質のほかに労働契約を締結するに至つた主観的意思とか当該職場における労働者の待遇に関する慣行など諸般の具体的な事情が重要な基準となることを度外視すべきではない。

判示は先ず本件労働契約の特徴として高度の信頼関係と軍の機密保持の重要性を掲げている。もとよりこれが重要な基準であることに異論を挿むものではないが、本件の労働者に高度の信頼関係を基盤とする契約上の性質を肯定すべきかどうかは佐伯氏の指摘するように疑問であろう。むしろ重点は軍の機密保持の要求にあると見るべきであり、信頼関係はこれに基く第二次的なものというのが素直な見方ではないか。したがつて高度の信頼関係を真正面に振りかざしたため、「その事実の存在が客観的に証明されなくても解雇することもやむを得ない場合もある」というような歯切の悪い抽象論に終り、蛇尾的色彩が否定できない。本件の労働者が消防隊とか弾薬庫に勤務するものとしての誠実勤務が危ぶまれるような客観的事情は何も現われていないからである。保安解雇が権利濫用にならないのはその後の判例（東京地決昭三〇・四・二三労民集六・三・三五七、東京地判昭三〇・一二・二二労民集六・六・一一九二、同昭三一・一・二一労民集八・一・一五一、東京地決昭三三・二・一〇労民集九・一・五四、福岡地判昭三三・五・三〇労民集九・三・三四三、同昭三三・一二・九労民集九・六・九七八（但し前記基本労務契約に「保安基準に該当すると認めるに足りる十分な理由がある場合」という制限が設けられない以前の事例））のいうように軍の判断が客観的には理由がないものであつても、その判断に基く解雇権の行使は機密保持の要請という特殊性の故に雇用契約の信義に反し権利の濫用として無効とはいえないと判定する態度が問題の正面に取りくんでいるというべきである。本件の判示において保安解雇の例が殆んどないとか、解雇の方針を固持したとか、米軍が労務者の立入を拒否するとかを挙げているのは佐伯氏が批判するように論旨の妥当性を理解するに苦しむというほかはない。

（四）　保安解雇と不当労働行為の成立が認められた例

不当労働行為の立証の典型的事例は労働者が活潑な組合活動家であること、使用者がこれを認識していたことの二つで足りる。不利益取扱との因果関係は使用者がこれを嫌悪していたことによつて立証されるが、この関係は使用者は組合活動を嫌悪するという労働常識——経験法則によつて推定され、立証がなされたことになる。したがつて使用者はこの因果関係を破るため他の解雇理由例えば労働者の非行、人員整理等解雇の必要性を立証する段階となるので、それが真の解雇理由であることが社会常識に照し是認される程度のものでなければならない（労委における不当労働行為の認定は、正常な労働慣行の発見にあるが、裁判上のそれと認定方式に甚しい相違があるとは考えられない）。

ところで保安解雇は軍の主観的認定の限度においてはその客観的妥当性を肯定するに由ないところであるから、右の因果関係を打ち破る力は甚だ薄いものといわざるを得ない。むしろ解雇の妥当性の少いことは不当労働行為を疑わせると推定すべきである。東京地判昭三二・六・四（労民集八・三・三〇二）は軍が保安基準に該当する具体的事実を開示しないことは不当労働行為認定の一資料となるものと解すべきであるとし、保安解雇を不当労働行為と認定している。多くの判例は保安解雇の決定的理由は組合活動にあるとして不当労働行為の成立を認めている（東京地判昭三〇・九・二〇労民集六・五・六二二、福岡地判昭三一・八・一〇労民集七・四・七〇〇、東京地判昭三一・八・二〇労民集七・四・七

一八、東京地決昭三二・一〇・二八労民集八・五・七七八、同昭三二・一一・一六労民集八・六・九三六、福岡高判昭三二・一一・二五労民集八・六・九四五、東京地判昭三二・一一・二八労民集八・六・九九〇、東京高判昭三二・一二・九労民集八・六・一〇三二、福岡地判昭三三・五・三〇労民集九・三・三四五、同昭三三・一二・九労民集九・六・九八二、東京地判昭三四・七・九労民集一〇・四・七〇〇、同昭三五・五・六労民集一一・三・四五〇、同昭三五・五・二五労民集一一・三・五七四、同昭三五・一〇・一七労民集一一・五・一一四四、福岡高判昭三五・一一・一八労民集一一・六・一三二五、東京地判昭三六・一〇・二六労民集一二・五・九七一）。

次に保安解雇は現地部隊と関係なく軍の上級機関の決定するものであるから不当労働行為意図に基くものではないとの疑問があるが、東京地裁判決は、これを否定し

【17】「駐留軍労務者に対する保安解雇の決定が事実上現地部隊の上部機関である極東陸軍保安委員会によつてなされるものであるとしても、右決定のための資料中に組合活動に関するものが含まれないという事実が認められず上部機関において不当労働行為の意思をもちえないとする論拠もなく、現地部隊の差別待遇の意図に基づく上申に基いて解雇がなされることもありうる以上、前記の一事によつて不当労働行為の成立する余地がないと断ずることはできない」（東京地判昭三二・一一・二八労民集八・六・九八九）。

とし、東京高裁判決も、これに同調して、

【18】「保安委員会に提出される資料が保安関係のもののみに限られ、組合活動に関する調査がなされないという点を肯認する資料がないばかりでなく、保安上危険な人物であるか否かを判定するためにはその者を詳細に調査することを必要とすることを容易に推認し得るので、これらの調査のうちには当然その者の組合活動に関するものも含まれると推認せざるをえないからこの点の調査が行われなかつたとはとうてい考えられない」（東京高判昭三二・一二・九労民集八・六・一〇三二）。

とし、更に東京地裁判決は、現地軍当局と解雇権者との間の意思の連絡を推定し

【19】「現地の軍当局がその労働者の組合活動を極度に嫌つていた事情があり、しかも現地の軍当局と全然無関係に解雇を決定したとの特段の事情が認められない場合には、右決定につき不当労働行為意思がなかつたとは断定できない」（東京地判昭三五・五・六労民集一一・三・四五〇）。

として軍（使用者側）の解雇意思決定の段階における不当労働行為意思の中断ないしは関連の欠缺は使用者側において特段の事情を挙げて立証すべきものとし（立証責任の転換）使用者側の内部関係においては一応不当労働行為意図の連続性を推定しているが、この判断は妥当というべきである。

最近東京地裁は妻に対する解雇が夫に対する不当労働行為であるとの興味のある判決をした。事案は夫婦が駐留軍労務者として同一職場に勤務していたところ、先ず夫が破壊的団体の構成員の理由で保安解雇され、次で約一〇ケ月後妻がその構成員と常習的密接に連係する者として保安解雇された。ところが夫に対する解雇が不当労働行為として無効であるとの確定判決がなされたので、妻に対する保安解雇の根拠は薄弱であり、むしろ妻に対する解雇は夫の組合活動を嫌悪し、これに物心両面の打撃を与え同人の解雇反対闘争を抑圧する意図に出たものと認定され、夫に対する不当労働行為たる不利益取扱であり、妻との関係で公序に反する解雇であるとの理由で無効と判定された。

【20】「妻に対する本件保安解雇の決定的理由は夫の組合活動を嫌悪し、その反対闘争を封じて同人の解雇を貫徹しようとするにあつたものと認めるのを相当とするところ、使用者が労働者の組合活動を嫌悪して同じく雇用している同人の妻を解雇することが当該労働者に生計上、精神上不利益を及ぼすことは明らかであるから、妻に対してなした本件保安解雇は、夫に対して労組法七条一号の不利益な取扱に該当する不当労働行為を形成するものというべく、かかる解雇は夫に対してのみならず妻との関係においても労働関係の公序に反し有効とは認められない」（東京地判昭三九・一二・二六労民集一五・六・一三三七）。

妻に対する解雇が夫に対する不当労働行為と見るのは前例のない考え方であるが、解雇権を濫用したものと認めることができよう。

（五）　不当労働行為が否定された例

(1)　右の判例の一般的な考え方に対し、東京地判昭三五・一二・二六（労民集一一・六・一五〇五）は闘争委員長としてスト中止直前まで人員整理反対活動を推進し、団体交渉においても活潑な発言をなし基地外退去を命ぜられた日の三日前に支部執行委員長に選任された組合活動家に対する保安解雇が不当労働行為でないとしているのは異色の判例というべきである。

(2)　次に内部における不当労働行為意思の関連が中断されたと認められた例として東京地裁判決は、

【21】　当初不当労働行為意図をもつて懲戒解雇の挙に出ようとしたとしても労管所長と労務士官との交渉の結果右措置を撤回し配置転換をすることに定めたが、別途に保安士官から保安解雇の申入がなされたので、これに基きなされた保安解雇は「懲戒解雇をとりやめ配置転換にすると言明した以上その言明どおり意図したものと認めるのが相当であつて、その言明が単に一時を糊塗するだけの言明であつて、あくまで当初の解雇の意図を支持し、この意図を強行するだけのため、別の形式の解雇をその口実に利用したに過ぎないと認めることはでき」ずまた軍側の注目した組合活動家ではない（東京地決昭三三・二・一〇労民集九・一・五一）。

として保安解雇につき不当労働行為の成立を否定した。

（六）　保安解雇と労基法三条

使用者の嫌悪する組合活動家はとかく左翼思想を抱懐し勝である。また、左翼思想家は活潑な組合活動家として使用者の注視の的なることも労働常識上否定できないところである。ところで保安基準は設定者の意思はともかく基準自体の表現に照し左翼思想を好ましくないとしていることも否定できないところであろう。そこで保安解雇の無効事由として三条違反の主張がなされる事例が多い。しかしながら、三条違反は思想そのものを嫌悪した差別扱の禁止であることはいうまでもないが、不利益取扱の理由は左翼思想家のなにらかの行動を把えて、その行動の故に処分したという形式をとるので三条違反の疑が濃厚であつても判例上これを肯定する事例は極めて少いしまた思想そのものを差別扱の理由としたとの立証は困難とされている。そして保安解雇が三条違反であるとする判例はまだ見当らない。東京地裁判決は保安基準該当が一定の行動を掲げているのに照して、これを否定し、

【22】「たとえ日本共産党○委員会が右保安基準にいわゆる破壊的団体または会に該当しAがその構成員であるとされたものであるとしても、単にその事実のみを理由として軍がAの保安解雇を国に要求したものとは考えられずAの軍に対する保安上の危険となるべき行為が軍の右要求の決定的な根拠となつたものとみるべきである。」そうだとすれば保安解雇がAの思想信条のみを理由としたものとはとうてい認め難い（東京地判昭三五・一二・二六労民集一一・六・一五〇八、同旨、同昭三五・九・一九労民集一一・五・九五九）。

と判定している。

労働仮処分

岸星一

はしがき

所謂労働事件には、仮処分手続によるものが、本訴によるものよりはるかに多く、かつ被保全権利と必要性のいずれについても困難な問題をふくみ、手続的にもまた特異な面をもつことは、周知のとおりである。

ここでは、そのなかで、戦後数多くの労働関係裁判例のうち、仮処分事件につき、主要な問題点に関し、とりあげることとした。したがつて、必ずしも労働事件に特有の問題には限られないが、紙数の関係などから若干の点ははぶいており、それらの点は、労働事件の法的救済に関する制度的な問題とあわせて、別の機会に譲ることとした。また被保全権利の存否そのものについての判断に関する論評は一応本稿の範囲外とし、原則として触れることを避け、専ら手続上の問題点についてまとめることとした。

一　管轄について

仮処分の裁判は、本案の管轄裁判所の専属管轄に属する（民訴七五八・五六三、なお本案が控訴審に係属するときに限り控訴裁判所、民訴七六二）が、労働事件では当事者の社会的経済的地位、能力等の差から、民訴五条・九条等の活用がみられる。すなわち、労働の行われる場所を民訴五条の義務履行地とみるものとして、

【1】「労働協約の効力確認訴訟は民事訴訟法第五条所定のいわゆる財産権上の訴の範疇に属するものと解されるから、同条の定めるところにより義務履行地を管轄する裁判所に訴を提起することができる。而して労働協約上の義務の履行は、その協約内容が労働条件に関する定を主とすることの必然的結果として、大部分当該労働の行われる場所でなされるものであってこれを本件について見ると本件労働協約が本件当事者間に有効である場合被申請人の右協約上の義務は大部分申請人所属の組合員が働く佐伯市において履行さるべきものである」（大分地昭二四㋵一〇昭二四・五・一九判決資料六・一四六日本セメント協約確認仮処分事件）。

とするものがあり、また、就業規則の有効確認並びにその履行の請求を本案とする仮処分申請につき、履行地としての事業場所在地の管轄裁判所に特別裁判籍を認めた例（福岡地小倉支昭二四㋵六三昭二四・六・二二決定資料六・二〇八日本セメント事件）がある。

民訴九条によるものとしては、協約の遵守を求める事案につき、同「条に所謂業務とは本来の業務のみならず広くこれに関連する業務をも包含するものと解すべきもので、労働協約に関する訴訟は右広義に於ける使用者の業務に関する訴訟と謂うことができる」として（熊本地昭二四㋵四七昭二四・四・三〇判決資料六・一三七日本セメント事件）、また解雇無効確認を本案とする従業員の地位保全仮処分申請につき該製造所が或程度独立して業務を行

うところから右製造所の従業員に関する事項として（大津地昭二四(ヨ)四昭二四・六・六決定資料六・五〇日本電気事件）、また当該工場が営業種目の大部分を行っており組合との協定も同工場で結ばれていることから解雇の当否は同工場の業務に関連ありとして（岡山地昭二五(ヨ)一六昭二五・六・三〇決定労民集一追一二三六備前護謨事件）、更に就業規則の効力確認等を本案とする仮処分申請につき就業規則が事業場毎に定められるものであり、就業規則に関する事項は当該事業場の業務に関するものであるとして（福岡地小倉支昭二四(ヨ)六三昭二四・六・二二決定資料六・二〇八日本セメント事件）、それぞれ当該工場製造所等を民訴九条にいわゆる事務所又は営業所と見てその所在地の管轄裁判所に管轄権ありとする例が多い（その他福岡地久留米支昭二四(ヨ)五一昭二四・六・二四決定資料七・一五九日本タイヤ事件、岡山地昭二四(ヨ)九一昭二五・四・一四決定労民集一・二・二七三三井造船事件）。なお、従業員の採用解雇についての判断が実質的には支社長の支配下にあり、人員整理に当っての基準該当の適否も支社において認定され、解雇通知も支社長から発令されている場合の地位保全事件につき、当該支社所在地の管轄裁判所に管轄権ありとした例も見られる（仙台地昭二四(ヨ)一三四昭二五・五・二二判決労民集一・三・三九一日本冷蔵事件）。労働者側がその働く当該事業場から遠く隔たつた債務者会社の所在地において訴訟を追行することは、通常至難のことでもあり、これら管轄に関する規定の適用は相当である。したがつて、

【2】「申請人らは八幡市枝光所在の被申請会社牧山工場従業員で組織する旭硝子株式会社牧山工場労働組合の組合員であり、会社のかかげる解雇事由は、いずれも昭和二十八年九月十日から同年十月二十五日まで右組合の行った同盟罷業に際し、申請人らのなした違法行為が就業規則の懲戒条項に該当するというのである。そこで申請人らの右行為についてみるに、それらはすべて右牧山工場内又はその周辺で行われたものに限られ、申請人ら及び証人となるべき者その他本件関係者も殆んど同地方の居住者である。しかも当事者双方の主張によれば事実関係は相当複雑で、多数の証人の出廷が予想され、短時日

の審理は困難である。 そして 被申請人の主張によると、 本件解雇処分は 右牧山工場長が その権限と責任において行つたもので、会社は 実質上すべてを同工場長に 任せていたというのである。 してみれば、 本申請を被申請会社の所在地を 管轄する当裁判所において 審理することは、 当事者に 経済的に 負担をかけ、 訴訟の遅延をきたすおそれが明かである。 よつて著しい損害及び 遅滞をさけるため、 本件訴訟の全部を右牧山工場 （営業所） の所在地の管轄裁判所である 福岡地方裁判所小倉支部に移送する必要がある」（東京地昭二九(ヨ)四〇二二昭二九・九・二七決定労民集五・五・六一三旭硝子事件）。

ということにもなる（なお、協約の有効を前提として、従業員の地位保全ないし協約違反行為の禁止を求める秋田地昭二三(ヨ)六〇昭二四・一・一〇決定資料六・一一〇帝国石油事件、神戸地姫路支昭二四(ヨ)二三昭二四・五・二一決定資料六・一七七東芝網干工場事件は、いずれも特別裁判籍を認めず、本社所在地管轄裁判所に移送している。文献としては、柳川・新訂保全訴訟一七二頁、柳川外・全訂判例労働法の研究一六二六頁以下、柳川＝高島・労働争訟一七一頁以下）。

二　当事者について

一　単一組合の支部分会の当事者能力

労働組合は法人であると否とにかかわらず、社団としての性格から訴訟上の当事者能力をもつが、単一組合の支部・分会についても、次のように考えられるであろう（なお、東京地八王子支昭二四(ヨ)一九昭二四・五・一三判決資料六・九二日本セメント事件、広島地尾道支昭二四(ヨ)五昭二四・四・二三判決資料六・一一三日本セメント事件、熊本地昭二四(ヨ)四七昭二四・四・三〇判決資料六・一三七日本セメント事件、大分地昭二四(ヨ)一〇昭二四・五・一九判決資料六・一四六日本セメント事件、福岡地小倉支昭二四(ヨ)二一乃至二三昭二四・五・二四判決資料六・一五八日本セメント事件、東京地八王子支昭二四(ヨ)三三昭二四・七・二〇判決資料七・二八五日本セメント事件、神戸地姫路支昭二四(ワ)三八昭二四・一二・二一判決資料七・二九四日本電気製鋼事件）。

【3】 単一組合の支部分会がある程度の自治を許されている場合に「その自治に基いて一応独自の規約を有し、独自の決議機関、執行機関、代表者を有しており、資金の配付を中央本部から受けそれを独自の責任において自己の用途に供し、ある程度の自立的な活動をする限りにおいて民事訴訟法第四十六条に所謂人格なき社団として訴訟上の当事者能力を有するものといわねばならない」（岐阜地昭二五(モ)一二昭二五・一二・二八判決労民集一・六・一一二三電産支部仮処分異議事件）。

【4】「労働組合支部の訴訟上の当事者能力の存否については、必ずしも支部なるが故にこれを否定すべきものではなく、その支部の具体的実情に鑑み判断すべきものであつて、支部それ自体が一応独自の規約を有し、独自の決議機関、執行機関あるいは独立の財産を保有し独立の会計をもつなど、本部あるいは上部団体とは独立して、自主的活動をなし得る社団的組織体をなし、かつ、社団的組織として本部とは別個の活動をなしている場合においては、支部それ自体の当事者能力を肯定すべきである」(浦和地昭三四(ワ)三〇六昭三七・三・一四判決労民集一三・二・二二三平和自動車協約履行請求事件)。

二　未成年者の訴訟能力

民訴四九条によれば「未成年者ハ法定代理人ニ依リテノミ訴訟行為ヲ為スコトヲ得」るとされ、「未成年者ガ独立シテ法律行為ヲ為スコトヲ得ル場合」に例外として自ら訴訟行為をすることができることとなつている(同条但書)。したがつて、未成年者が一種または数種の営業を許された場合のその営業に関する行為(民法六条なお同法五条の場合参照)や、会社の無限責任社員となることを許されたときの社員たる資格に基づく行為(商六)など、前記民訴法条の但書に該当する場合に限り訴訟能力を有するものとされる。そこで未成年者の労働契約より生ずる争訟につき、未成年者に訴訟能力ありや否やに関して、種々の見解がとられる。後出【8】判例の分類をかりると、「全ての労働契約より生ずる争訟について未成年者に訴訟能力を認める積極説と、全てこれを否定する消極説と、賃金請求に限り訴訟能力を認め、その他の労働契約上の争訟についてはこれを否定する中間説とが存在する」ところ、下級審判例を沿革的に見れば、福岡地裁小倉支部(昭二五(ヨ)三八昭二五・四・三決定労民集一・一・一〇四西日本汽船仮差押事件)は、未成年者が独立して労働契約の締結をなしうるか否かについては疑問を残しつつも、少くとも賃金については、(その請求が正確な意味

では法律行為といいえないとしても）独立して訴求することができるとしており、同じく中間説をとるものには、

【5】「労働基準法第五十九条は親権者又は後見人が未成年者の賃金を代つて受取ることを禁止すると共に未成年者が独立して賃金を請求することができる旨を定めておるが右立法の趣旨とするところは親権者又は後見人がその法定代理権を濫用して未成年者の受くべき賃金を横奪しつつこれを労務に服せしめひいては未成年労働者を奴隷的な搾取の具に供する弊害を除去することにあると解せられるから、右の法意を貫徹するためには単に実体法上の関係においてだけでなく訴訟法上の関係においても未成年労働者が独立して賃金請求の訴を提起し得るものと解するのが相当」であるが「賃金の請求とは労働基準法第十一条に定める如く『労働の対価として使用者が労働者に支払うもの』の請求を直接の目的とすることを要しこれ以外には及ばぬものと解さねばならぬのであつて而もこの点は労働基準法第五十九条が無能力制度に関する民法の一般原則に対する例外を定めているものとして之を厳格に解すべきであると思われる。もつとも労働基準法第五十八条は親権者又は後見人は未成年者に代つて労働契約を締結してはならないことを規定し民法の無能力制度はこの点においても一部変改せられていることは明であるが未成年者が労働契約を締結するについてはその法定代理人の同意を得ることを必要とする民法の一般原則が依然として維持せられていることは右第一項の文理解釈（船員法第八十四条参照）からも又同第二項が親権者又は後見人は行政官庁と相並んで『労働契約が未成年者に不利であると認める場合には将来に向つてこれを解除することができる』として労働契約の維持について未成年者を民法の一般原則よりも更に強力な保護的干渉の下においている点からもこれを看取することができる。して見ると労使間に解雇の効力について争がある場合に未成年労働者側から解雇無効確認の本訴を提起し又はこれに附随する仮処分として右解雇の効力を停止し且将来に向つて賃金相当額の金員を支払うべきことを申請する如きは労働基準法第五十九条によつて未成年労働者に対して例外的に認められる訴訟能力の範囲外にあるとせねばならぬ。蓋し労働契約の締結維持等の事項に関しては未成年者は独立の行為能力を有するものでないことは既に上述したとおりであり又その仮処分を以て金員の支払を求める旨の申立も結局は右解雇の状態が本案訴訟の結了に至るまで継続する場合にその未成年労働者がこうむるべき

著しい損害を防止するために必要な金員の支払を求めるに帰するのであつてこれについて裁判所がたとい申請を認容する場合においても裁判所は右損害を防止するために必要な金額範囲を自由に認定して支払を命じるのであり従つて右金員は必ずしも労働基準法第十一条にいわゆる『労働の対価』とする意味において計測された金員の支払を命じることにはならぬのであつて結局かかる保全目的のためにする金員の支払を求める仮処分申請はその解雇無効に関する本案訴訟について訴訟能力があることを前提とせねばならぬからである」（神戸地昭二八(ヨ)五一昭二八・二・五決定 労民集四・六・五八四新三菱重工事件）。

【6】「未成年労働者の労働契約の解除或いはその存続態様等につき労使間に紛争がある場合労働者自ら使用者に対し訴訟を提起し、之に附随して仮処分命令等の申請を為し得るかについては、労働基準法等にこれを認めた規定のないこと、前記労働基準法第五九条は賃金請求についてのみ許容せられた例外的規定と解されることから考えて之は許されないものと解すべきである。尤も労働基準法第五八条第一項は親権者又は後見人が未成年者に代つて労働契約を締結することを禁じているから未成年者は親権者又は後見人の同意を得て自ら労働契約を締結するの外はないがこのことから直ちに未成年者は独立に労働契約を解除することができ、惹いて解除に関する紛争につき訴訟を提起することができると結論することはできない。それは同法第五八条第二項において未成年者の契約した労働契約が未成年者に不利であるときには親権者等において之を解除することができる権限を与え、未成年者の自由な権限に任かせていないことに徴して明らかである。

次に未成年者の親権者或いは後見人が民法第八二三条、第八五七条の規定により子が職業を営むことを許可して一旦第三者との労働契約を介して継続的な労働関係に入つた場合には民法第六条第一項を準用して行為能力を有するに至るのではないかとも考えられるけれども、第六条に謂う『営業』とは商業又は広く営利を目的とする事業に限られるのであるが、『職業』の概念は広く、継続的な業務をいい、営利を目的とすると否とを問わないものであつて営業よりも広い観念である。従つて、民法第八二三条第八五七条により親権を行う者が未成年者に対し職業を営むことを許可したからと云つて直ちに同法第六条の営業を許可したものと云うことはできない。民法第六条は自己の計算において事業をする未成年者に対して成年者と同一の能力を有するものと認めたものであつて、単に他人の計算における事業に労務を提供するに過ぎない労働者の如き者はこれに含まれないと解すべきである。従つて本件の申請人の如き未成年労働者は仮令民法第八二三条第八五七条の許可があつたとしても、これをもつて同法第六条の営業の許可のあつたものと認めることはできない」（名古屋地昭三五(ヨ)三三三昭三五・一〇・一〇決定労民集一一・五・一一一三倉紡地位保全仮処分事件）。

の各決定がある。

ところが、右【6】の抗告審において、名古屋高裁は積極説をとり、原判決を取り消して名古屋地裁に差し戻した。

【7】「民事訴訟法第四九条本文は未成年者は法定代理人に依つてのみ訴訟行為を為すことが出来る旨規定しているが、労働基準法第五六条第一項は『満十五才に満たない児童は、労働者として使用してはならない』と規定しているから満十五才未満の児童は別として、同法第五十八条と対比すると、労働契約の締結は未成年者保護と親権者の権利の濫用の防止の立場から満十五才以上の未成年者が自らなすべきで、親権者又は後見人は代つてなすことができないところであるから（尤も使用者は満十二才以上満十五才未満の児童の使用については、同法第五七条第二項、第五六条第二項により修学に差し支えないことを証明する証明書及び親権者又は後見人の同意書を事業場に備え付けなければならないから、親権者又は後見人において未成年者に代つて労働契約を締結出来ないが、右使用について親権者又は後見人の同意が必要である）、満十五才以上の未成年者は労働契約に関する訴訟行為を自ら有効になすことができると解する（民事訴訟法第四九条但書）」（名古屋高昭三五(ラ)一七七昭三五・一二・二七決定労民集一一・六・一五〇九倉紡仮処分抗告事件）。

右名古屋高裁の判決があつたのち、昭和三七年名古屋地裁は地位保全仮処分事件につき、一転して消極説をとるに至つた。

【8】「積極説を採る論者は、先ず労働基準法第五九条の規定をもつて民事訴訟法第四九条但書に該当するという。」「しかしながら、右規定の賃金請求は厳格な意味において法律行為ではないので、必ずしも未成年者に賃金請求の実体法上の請求権

を与えたものと解し難いのみならず実体法上の請求権が認められた場合は全て訴訟法上の請求権をも認められたものと結論することもできない。労働基準法第五九条の規定の解釈と訴訟の遂行を考慮するときは（此の点については後に中間説に対する批判において詳述する）、右規定をもつて訴訟法上の請求権を認めたものと解することはできない。」

「労働基準法第五八条の規定が民事訴訟法第四九条但書の規定に該当するということは右労基法の規定の文理解釈上は無理であり、また右規定の趣旨から未成年者に訴訟能力を認めたものと解することも相当ではない」「民事訴訟法において未成年者の訴訟無能力の規定を設けたのは一つに未成年者の保護の趣旨に出ている。未成年者の保護は、労働契約の締結その他労働条件等については労働基準法により考えなければならないと共に、訴訟の提起、追行については民事訴訟法の観点より考慮すべきものである。訴訟行為は種々の攻撃防禦の方法を伴い、その遂行は複雑にして困難であり、訴訟の結果は当事者に重大な利害を及ぼすものである。それだからこそ民事訴訟法は未成年者の訴訟無能力制度を設け、思考判断力において未成熟な未成年者が自ら訴訟に関与することを原則として禁じ、法定代理人をして未成年者に代つて訴訟をなすことにしたのである。」親権者が親権を濫用して未成年者のために訴訟を提起しない場合に未成年者の保護を欠くとの反対理由については「かかる特別の場合のみを考慮して一般的に通常の権利行使の場合にも未成年者に訴訟能力を与えるというのは妥当でないのみならず、親権濫用について親権喪失の宣言を請求する等の救済方法も存するから、親権濫用の場合を強調して未成年者に全般的に訴訟能力を認めるのは相当でない。」

「民法第六条にいう『営業』とは商業又は広く営利を目的とする事業に限られるのであるが、『職業』の概念は広く継続的な業務をいい、営利を目的とすると否とを問わないのであつて、営業よりも広い概念である。従つて、民法第八二三条、第八五七条の規定により親権を行なう者が未成年者に対し職業を営むことを許可したからといつて直ちに同法第六条の営業を許可したものということはできない。すなわち、民法第六条により営業を許可せられた者は自己の計算において事業をなすものであつて、営業許可がなされる場合には一応当該未成年者が取引その他法律行為をなす能力があるか否やを勘案し、その能力があると認められるときに許可を与えるのが一般であるから営業を許可された未成年者に成年者と同一の訴訟能力を与えても未成年者の保護に欠けるところはないと云えよう。しかし、労働契約は単に被用者として他人の計算における事業に労務を提供してその対価を得るという関係に過ぎないから、そのような職業に就くことの許可を営業許可の場合と同一視することは相当でない。」

更に中間説につき、労基法「第五九条にいう賃金の請求や受領は厳格な意味において法律行為ではない。未成年者に例外的に訴訟能力を認めた民事訴訟法第四九条但書の趣旨が成年者と余り変りない法律行為の可能な未成年者を予定していることに鑑みるときは厳格な意味の法律行為に限らざるを得ない。また実際論からいうも、賃金請求訴訟といえども、相手方より弁済、相殺、時効等の抗弁が提出されることはもとより、賃金請求の前提となる労働契約そのものの効力が争われることがある。殊に解雇の有効無効が争われるような場合には、訴訟関係は複雑化し、未成年者の能力をもつてしては訴訟の追行に不安なきを期し難い。また、此の中間説を採るときは、解雇無効を原因とする賃金請求訴訟において解雇無効確認の請求を併わせて求めればこの分につき訴訟能力を欠き、賃金請求のみを求めれば訴訟能力を有することとなり、その実態は同一でありながら訴訟能力の有無を生じ不徹底たるを免れない。」同条の規定は「同条後段の規定と相まつて労働基準法第二四条の賃金直接払いの原則を特に未成年者の場合につき反面から注意的に規定したに過ぎないものと解すべきである」(名古屋地昭三七(ヨ)一二五・一二・一四昭三七・六・一一判決労民集一三・三・七三四・一栄毛織事件)。

その後、名古屋高裁は二つの相反する見解を示している。その一は前出【8】判例とおおむね同旨の消極説をとり(名古屋高昭三七(ネ)二六八昭三八・七・三〇判決労民集一四・四・九六八茶清染色仮処分控訴事件)、その二は前出【7】判例の裁判所と同部で重ねて判示した積極説である(名古屋高昭三七(ネ)二七〇昭三八・六・一九判決労民集一四・五・一一一〇滝上工業仮処分控訴事件)。

右【8】判例とおおむね同様の立場をとるものとしては、つとに柳川・高島両氏があるが(「労働争訟」一六四頁以下)、吾妻(労働基準法コンメンタール二三八頁)、菊井(菊井＝村松「仮差押仮処分」)各教授は賃金請求訴訟について肯定され、兼子(ジュリスト労働判例百選一〇五項)後藤(判例評論三五号一二頁以下)有泉(法律学全集「労働基準法」三九八頁以下)松岡(条解労働基準法下七二四頁以下)各教授は積極説をとられる。このうち、兼子教授は「通常語としては職業と営業とでは語感を異にするけれども、民法第八二三条第一項は、『職業を営む』といつて、同第二項が第六条第二項を利用しているところからすれば、第六条の営業というのも、職業を営むことの省略と解し得ないわけでもないであろう。この立場をとれば、他の労働関係法理を云為するまでもなく、親権者の許可を得て就職した未成年者は、その労働関係について行為能力、したがつてまた訴訟能力を有することになる。」労基法「第五八条第一項は、親権者又は後見人が、未成年者を代理して労働契約を締結することを禁止して居り、これは労働契約については、これらに法定代理権を否定する趣旨であり、特に第五九条は、労働の対価である賃金について、未成年者が独立に受領すべきもので、親権者等が代つて受領できないこととしていることも、労働契約における労働者側の最も重要な権利についての管理権を本人に認めたものに外ならない。」更に、未成年者が親権者等の許可を得て労働契約を締結したことを前提として「既に労働関係に入る労働契約の締結も、本人の自発的意思に任せられ、親権者等に代理権のない以上、その後のこれに基く法律関係について法定代理を認めることがおかしいのであり、また労働関係の実際からいつても一々親権者のコントロールを認めたのでは、使用者としても煩に堪えないであろう。労働基準法第五八条第二項は、労働契約が未成年者に不利であると認められる場合に、親権者等に解約権を与えているが、これは未成年者保護の立場から最後的なものとして与えられるもので、逆にそこまで至らない限り干渉できないことを示すものともいえるし、またこの権限は行政官庁にも認められる点に徴しても、法定代理権の行使としてではなく、保護者としての固有のものというべきである。」（兼子前掲）と述べられ、有泉教授は「特定の労働契約の締結について親権者の同意を得た場合には、民法第六条の営業許可に関する規定を類推して、当該の労働契約に関連する範囲で成年者と同一の能力を認めることも考えられる。少くとも当該の労働契約に直接関連する事項について一般的な同意があつたものとみることができよう。このように考えれば、親権者の同意を得て雇われた未成年者はその契約に関連するその他の法律行為、例えばいわゆる社内預金契約、社宅寮使用契約、当該企業内で組織されている労働組合への加入など、いずれも一々親権者の同意を得ないでも単独ですることができることとなる。また当該労働契約に関連する訴訟を遂行する能力も認められることになる。」（有泉前掲）とされている。

無能力者の制度は、その財産の保護にねらいがあり、資力のない無能力者みずからが生活の資を得るために法律行為をするのについては、ほとんど実益のないものである点から考え、また労基法五八条一項によれば、未成年者が親権者または後見人の同意をえさえすれば使用者と労働契約を結び、継続的な法律関係に入ることができ、そのかぎりでは法定代理権の行使が許されない（二項を除き）ものとみられるのであるから、積極に解するのが相当であろう。そして、そのために実務上特に未成年者に顕著な不利益を招く結果を生ずるとは思われないし、反つて未成年労働者に関するその他の法律関係の解決にも役立つこととなる（その他、積極説をとるものとして、神戸地昭三三(ヨ)二九二昭三四・三・二八判決労民集一〇・二・一六八信和工業解雇事件、青森地弘前支昭三八(ヨ)二一昭三八・一〇・三一決定労民集未登載、判例批評として、保原喜志夫・ジュリスト一九七号八五頁、慶谷淑夫・ジュリスト二四三号八六頁参照。なお、窪田隼人・総合判例労働法(3)一七三頁は積極説をとる）。

三　取下について

仮処分申請の取下につき、民訴二三六条二項の準用があるか否かについては争いがある。労働事件裁判例中には、これを肯定して相手方の同意を要するとした次の判決がある。

【9】「本件に於ては既に前後七回に亘り口頭弁論を開いて審理し相手方の弁論及証拠調を尽し之に基いて判決すべき場合であつて相手方の応訴行為と同種の行為がありその取下については民事訴訟法第二百三十六条第二項の準用があると解せられる」（山口地昭二五(ヨ)二二昭二六・五・七判決労民集二・三・二四七宇部興産事件）。

吉川教授は積極説を強調されており（吉川・判例保全処分三二七頁以下に下級審判決も指摘して詳細に展開せられている。柳川・新訂保全訴訟二一九頁も同旨の立場をとられるが、沢・保全訴訟研究三三一頁は消極説に立たれる）、債務者が申請につき防禦方法を展開したのちにも、債権者は債務者の同意なくして申請の取下ができるとすることは、衡平を失する感がないではないが、次に掲げる判旨の如く、保全訴訟と本案訴訟との性質とを対比して考えれば、それを同一に論ずるのは妥当でない、といえよう。

【10】民訴「第二三六条第二項によつて訴の取下の効力を被告の同意にかからしめているのは、被告が請求棄却の判決を得て再びその請求について訴を提起させる危険をなからしめようとする利益を保護するために外ならないから、保全訴訟の場合に債務者がこれと同じような利益を有しているか否やによつて、第二三六条第二項が準用されるかどうかをきめるべきことと思う。異議の申立によつて口頭弁論が開かれ、債権者の保全処分命令の申請が却下せられ、その判決が確定した場合でも、通常の訴訟事件においてのような本案の請求権の存否——本件の場合についていえば株主総会決議の存否——というような実質的確定力は生じない。この確定力は保全訴訟の本案訴訟の本案判決が確定した場合に限つて生ずるので、保全訴訟での債権者敗訴の判決の効力は、わずかに、同一の条件で債権者から債務者に対し同一内容の保全処分命令の申請がなされる場合にのみ及

び、その保全処分命令の申請が右判決の効力で却下されるに止まるものである。……従つて通常の訴の取下の場合とは異り、保全訴訟の場合に、債務者の同意がなければ債権者は仮処分申請の取下を有効になし得ないと解したとしても、控訴人の利益は上記説明のように極めて少いものであるから、保全訴訟手続には第二三六条第二項は準用せられないと解するのが相当である」(東京高昭二七(ネ)一〇七七昭二八・六・二六判決下級民集四・六・九三七)。

なお、選定当事者による訴訟につき、選定者が自ら訴を取り下げるのには、まず選定当事者を解任して自己が当事者となつたのちに行なうべきであるのに、その解任をしないでなした訴の取下は、効力が生じない、とした判例がある(大阪地昭三一(ワ)四八〇六昭三四・七・二〇・六・九九九・十合紙製品会社解雇予告手当請求事件二二判決労民集一〇)。

四　仮処分の類型と問題点

一　使用者側申請のもの

使用者側が申請する仮処分には、土地建物その他の物件に対する労働組合又は組合員の占有を解いて執行吏の保管に付するもの、更に債権者にその使用を許すもの、工場等より組合員の退去を命ずるもの、物件の引渡を命ずるもの、組合員の立入禁止、非組合員・第三者などの出入の妨害禁止、原燃材料・製品等の搬出入その他の業務の妨害禁止など、労働争議に関連するものが大部分であり、したがつて障害物や設置物などの撤去を命じたもの(静岡地昭二九(ヨ)二三一昭二九・七・一〇決定労民集五・三・三四二近江絹糸事件、京都地昭三四(ヨ)一六四昭三四・五・八決定労民集一〇・三・五一八相互理化学事件、東京地昭三四(ヨ)二一六四昭三四・八・一二決定労民集一〇・四・七三四成光電機工業事件、福岡地昭三五(ヨ)二四五昭三五・七・七決定労民集一一・四・七四九・三井三池事件、京都地昭三六(ヨ)二六昭三六・一・二五決定労民集一二・二・一二八以下ステーション ホテル事件、熊本地昭三七(ヨ)一〇六昭三七・八・三〇決定労民集一三・四・九四六新日窒水俣工場事件その他)、執行処分として一定の物件の設置を命じたもの(福岡地昭三五(モ)六〇二昭三五・五・一〇決定労民集一一・三・四七九・

三井三池事件）もある。もっとも執行吏の保管に付することは、労働争議の性格や実情などからこれを避ける傾向も見受けられる（判例タイムス一二六号「裁判所よりみたる労働事件の傾向」2参照。なお、甲府地昭二九(ヨ)一五二昭二九・一〇・二六決定労民集五・五・五九五山梨中央銀行事件は、主文第一項で立入・業務妨害禁止をうたい、第二項で被申請人が右命令を遵守せずまたは違反のおそれがあるときは裁判所の許可を得て目的物件を執行吏の保管に移し現状不変更を条件として債権者に使用させることとしている）。

これらの仮処分について被保全権利とされるものは、ほとんどが所有権にもとづく返還・明渡ないしは妨害排除・予防請求権——ときには占有権にもとづく——である（高松地丸亀支昭三四(ヨ)六一昭三四・一〇・二六労民集一〇・五・九八二松浦塩業組合事件の決定は、工場敷地および建物の賃借権にもとづく妨害排除ならびに妨害予防請求権を被保全権利として、業務妨害禁止を命じている。また、宇都宮地昭二八(ヨ)一三昭二八・三・一八労民集四・一・三七大興電機事件の決定・広島地呉支昭二八(モ)六四昭二八・一一・五労民集四・五・四一一尼崎製鉄異議事件の判決・岐阜地昭二九(ヨ)一三四昭二九・七・二九労民集五・五・六〇六近江絹糸執行停止事件の決定、福岡地飯塚支昭三四(ヨ)三七昭三四・一〇・一三労民集一〇・五・九四五日鉄鉱業事件の決定は、所有権・占有権とならんで経営権にもとづく妨害排除を求めうるとしている。経営権ないし操業権なるものの権利としての性格が未成熟である点に鑑みるときはこれを被保全権利とすることは相当といえない）が、後に述べるように、保全の必要性の観点から、その申請の全部または一部につき却下されているものも相当にあり、また、認容される場合にも、組合事務所や寮・寄宿舎・食堂その他厚生施設の利用など、組合活動や争議参加従業員の私生活への配慮がなされているのが通例である。さらに、仮処分の発令により争議行為なかんずくピケッティングに必要以上の影響を与えることを慮り、実力をもって妨害してはならない、とか、有形力の行使によって妨害してはならない、とか、或いは、妨害禁止は言論による説得ないし団結による示威に及ぶものではない、というような表現を用いた主文例（大阪地昭二九(ヨ)一八七六昭二九・七・五決定労民集五・三・三一一近江絹糸本社事件、大津地彦根支昭二九(ヨ)一七昭二九・七・八判決労民集五・三・三一八近江絹糸彦根工場事件、岐阜地昭二九(ヨ)八九昭二九・七・二四決定労民集五・五・六〇八近江絹糸大垣工場事件、大阪地昭二九(ヨ)二六五〇昭二九・九・二五決定労民集五・六・七六〇創元社事件、大阪地昭二九(ヨ)三六五六・三六七七昭二九・一二・二八決定労民集五・六・七六八・千土地興業事件、名古屋地昭二九(ヨ)一二一七昭二九・一二・二八決定労民集五・六・七七七笹徳紙器印刷事件、大阪地昭三〇(ヨ)一六八七昭三〇・九・三決定労民集六・五・六六二利昌工業事件、山口地昭三〇(ヨ)九八昭三〇・一一・二七決定労民集六・六・九一一防長自動車事件、大阪地昭三一(ヨ)一一五七昭三一・七・七決定労民集七・四・七六四錦タクシー事件、福岡地小倉支昭三二(ヨ)二〇七昭三一・一二・一七決定労民集七・六・一〇一三日華油脂事件、仙台地昭三二(ヨ)二〇三昭三二・八・二四決定労民集八・四・五〇四秋保電気鉄道事件、札幌地昭三三(ヨ)二八九昭三三・一〇・九決定労民集九・五・三四八王子製紙事件、名古屋地昭三三(ヨ)八五七昭三三・一一・二一決定労民集九・六・九九九王子製紙事件、東京地昭三四(ヨ)二一五三昭三四・八・一〇決定労民集一〇・四・七二九田原製作所事件、東京地昭三四(ヨ)二一六四昭三四・八・一二決定労民集一〇・四・七三四成光電機工業事件、青森地弘前支昭三五(ヨ)四七昭三五・五・二七判決労民集一一・三・五九四弘南バス事件、東京高昭三六(ラ)三四三昭三六・七・一四決定労民集一二・四・五八九目黒製作所事件、札幌地昭三七(ヨ)九一昭三七・四・五決定労民集一三・二・三八七北海道放送事件、熊本地昭三七(ヨ)一〇〇昭三七・八・二五決定労民集一三・四・九三〇新日窒水俣工場事件、熊本地昭三七(ヨ)一〇六昭三七・八・三〇決定労民集一三・四・九四六新日窒水俣工場事件、なお福岡地昭三五(ヲ)二七八昭三五・五・四決定（三井三池執行方法異議事件）主文は、昭三五(ヨ)一四六仮処分決定に関し「相手方の委任する執行吏は、別紙仮処分決定第二項の出入妨害禁止部分を申立人組合の行う団結による示威もしくは平和的説得をも禁じているものと解釈して、同決定第三項による執行をしてはならない」と命じている）も多く見受けられる。労働争議に関連する仮処分は、その命令の内容以上に債務者に対して深刻な影響を与え、ときにはその争議の帰趨を決するに至ることもありうるので、その発令に当っては、長期かつ慎重な検討が加えられるのがふつうである（判例タイムス一二四号以下の前掲座談会記録、桑原判事は争議関係の仮処分を発した場合はむしろ紛争の解決にマイナスになったことが殆んどである旨を指摘される、同誌一七頁参照）。

次に、使用者が解雇された従業員を相手として、従業員でないことの仮の地位を求めた事例（東京地昭二五(ヨ)四五二・五八〇昭二五・三・二八決定却下労民集一・一・三九日本紙業事件、前橋地昭二五(ヨ)二二昭二五・七・二七判決却下労民集一・四・六五三富士産業事件、盛岡地昭二四(ヨ)七三昭二四・一二・二二決定労民集一・三・四七九東北電気製鉄事件は、申請を認容して被申請人の従業員たる地位を停止するとの決定を発したが、昭二四(モ)八六昭二五・五・二四の右仮処分異議事件判決において、右決定を取消し、申請を棄却している。但し、その理由は解雇無効により被保全権利を欠くとしているが、本来かかる主文を命ずる具体的必要がない――東京地昭二五(ヨ)四五二・五八〇併合昭二五・三・二八決定労民集一・一・三九日本紙業事件参照）があるが、すでに解雇という事実上の状態が存在しているのであるから、さらに仮処分によって仮の地位を形成する必要はないといえよう。

争議行為の差止を命じた例としては、労働協約の有効期間中に協約に定められている賃金の改訂を求めて行う平和義務違反のストライキの実施を禁じた旭化成事件（宮崎地昭二八(ヨ)三六昭二八・六・二六決定労働法律旬報一四八）、協約中の平和条項違反を理由として求めたストライキ禁止の仮処分申請を認容した京都ステーションホテル

事件（京都地昭三五㈲一三四昭三五・四・一一決定労民集一一・二・三五四）がある。

この種の仮処分は、結果的には組合員個人に対しては働けということを命じるもの、換言すれば、雇傭契約ないし労働契約上の就労義務の履行を命じるもの、であり、しかもかかる就労義務の強制は訴訟法上許されないと解すべきであるから、使用者はかような結果となる争議を禁止する請求権をもちえない、としてこれを否定する見解（兼子・討論労働法二四号）と、それは労働組合に対する労働協約上の平和義務履行請求権を被保全権利とするものであるから、個々の組合員に労働契約上の就労義務を強制するものではない、としてこれを肯定する見解（吉川「労働争議と仮処分」労働法講座三巻七五五頁以下）とがある。そして後者によれば、「個々の組合員は右仮処分の圏外に立」ち、その主文も「協約当事者たる労働組合に対し直接ストライキ・怠業を禁止する仮処分を命ずべきではなく、ストライキ・怠業の宣言・指令・援助等の一切の行為を禁じ（不作為）、また、組合員に対しその統制力を用いてこれらの争議行為を為さしめないよう適当な処置を講じること（作為）を命じる仮処分のみが許される」ということになる（吉川前掲）。

右二例ののち、平和義務違反を理由に争議行為の差止を求めた申請を却下した次の判例があらわれた。

【11】「平和義務が労働協約から当然発生するものであるということの理論上の根拠に関しては、⑴、労働協約の本質上これに内在するという立場のものとして⑴、労働協約の制度的な目的が労働平和すなわち集団的労使関係の安定の実現にあること、もしくは労働協約の社会的性格として平和的機能があることから当然とするもの、⑵、労働協約も労使間の契約である以

上当然に守らるべきものであるとするもの、(ハ)、労働協約の規範的部分が社会規範ないし法規範たる実効を保有し又はこれを実定法上の法規範として承認した国家の政策的意思を完全に担保するためには協約の履行につき協約当事者を拘束する債権債務の関係を措定する必要があるとするものがあるほか、(2)、労働協約に伴う暗黙の合意に基く（明示の合意がある場合と異らない）という立場があるが、平和義務が協約当事者を拘束すべき所以についてはともかく、その関係を債権法上の権利、義務として措定する理由については平和義務が協約内容の実施ではなくいわば協約自体の尊重を目的とする労働法に特有の義務であることからすれば、右(1)の見解は制度的意味において、又右(2)の見解は当事者の合意の解釈においていずれも今一つのあきたらなさを拭い得ないのであつてにわかに左袒し難く、他にこの点の明確な根拠が示されない限りむしろ平和義務違反の争議が行われた場合の法的効果としてはその争議行為が争議を以つて改廃に及び得ない協約条項に関する要求を目的とする点ないし期限による制限に反する点において違法とされこれがため民事上刑事上の免責及び不当労働行為からの救済という労働法上の保護を受ける利益を失うものと解して妨げがあるわけでないし又それ以上を求めるのは飛躍を免れないからである。すなわち平和義務の内容を実現する債権法上の履行請求権は法理上これを認め難い」（東京地昭三五(ヨ)二一二七昭三五・六・一五決定労民集一一・三・六七四日本信託銀行事件）。

しかし、一般に平和義務履行請求権を被保全権利とする仮処分が許されないものと断定することにもいささか躊躇せざるをえない。もとより、仮処分の仮定性・附随性などの観点からする批判もあろうが、後にも述べるように（二の二金員給付を命じる仮処分の項参照）、一回限りの給付により消滅する請求権についても仮処分が発令されているのであり、原状回復の法律上の可能性さえあれば仮定性に反しないものとみられ、また、附随性についても、その仮処分発令の際に当該被保全権利を訴訟物として本案訴訟を提起することが可能なかぎりその要請を充たすものと考えられるからである（吉川前掲、菊井「仮処分と本案訴訟」民訴講座四巻、沢「仮の地位の仮処分と継続的法律関係」保全訴訟研究、この問題は特にOS映画劇場事件仮処分大阪地昭二三(ヨ)四四九昭二三・六・一九決定に関して論じられた。なお、恒藤「労働協約の平和義務」後藤清教授還暦記念一二五頁、久保・季刊労働法三八号判例研究、柳川「平和義務と平和条項」労働法大系2一七一頁など参照）。

ただ、このような立場をとるとしても、ストライキは労働者が団体的に就労を拒むものであるから、組合にストライキ禁止そのものを命じるべきではなく、また、その発令についてもそれが労使の相対的力関係に甚大な影響を及ぼすこと、殊に組合側に再び立つ能わないような打撃を与える実体からすれば、また、平和義務の内容に吟味を要する点が多いことからすれば、使用者が回復し難い損害を蒙る場合は格別（而してその多くは損害賠償の請求をもつて足りるであろう）、かかる仮処分は必要性の観点からも容易に発令されるべきものではない。

二　労働者側申請のもの

（一）従業員としての地位保全　主文例としては、解雇の意思表示の効力を停止する・従業員として取扱わなければならない・従業員としての仮の地位を定める・雇用契約上の権利を有する地位を定める、という表現をとるものが多いが、そのほか、解雇の意思表示の効力を生じないものとする・従業員であることを認める・従業員であることを定める・某年月日当時の労働条件に従い処遇しなければならない、などと表示するものがある（ときには、事案の性質から、特定の地位や職種にある従業員としての地位保全をはかるものもある）。これらのいわゆる「債務者の任意の履行を期待する仮処分」は昭和二三年頃から見られ、今日までおびただしく発令されているが、これについては、かかる命令が強制方法を欠くことからする批判がある。次の判旨は解雇の効力停止の主文例に関連してなされた批判である。

【12】「法律要件である解雇の効力すなわち雇傭契約上の権利義務を消滅させるというその抽象的効力自体はこの危険（箪

者註、特定の権利関係について争のある結果を生ずる危険）を生じさせるものではない。この危険を生ずるのは雇主がその解雇を有効であるものとし、これを前提として消極的積極的の具体的行動に出たときにはじめて生ずるのである。………要するに仮処分によつて停止を求められるのは、被申請人の消極的積極的の具体的行動によつて生ずる危険であり法律要件である解雇の抽象的効力自体ではない。法律要件の抽象的効力は実体法によつて当然に発生するものであり、保全訴訟手続によつて実体法の効力を停止するようなことのできるはずのないのはいうまでもないところであろう」（山形地鶴岡支昭二三㈢五六七昭二三・一一・二四判決資料三・三九鶴岡東宝解雇事件）。

任意履行の仮処分は、それが

【13】「適法に取消される迄はこれに服すべきは当然のことであり、又仮の地位とは云え或る期間は継続する法律関係であるから、当事者双方信義誠実の原則によつて常に結びつかねばならぬことを考慮すれば、債権者等申請の如き従業員たる地位に基く具体的請求権は債務者の任意の履行に一応俟つべきである」（東京地昭二四㈢一九一昭二四・八・一八判決労民集一、追録一二一五帝国石油事件）。

とされるごとく、労使関係における信義則の保持、自主解決に役立ち、その流動性にも適応することなどが理由として挙げられており（例えば、柳川＝高島・労働争訟一一六頁以下）、またそれなりの効果を挙げてきたことは周知のところである。前示【12】判例が指摘する点は、「効力停止」の仮処分のねらいが、無効と一応認定される解雇の意思表示につきそれがなされなかつた状態――仮の地位――を作り出すことにあるのであつて、それにより使用者が解雇を前提として具体的行動に出る危険を防ぐのであるから、保全処分としての一応の目的を達しうるわけであり、その限りにおいては、かかる非難は当らない（なお、柳川「仮処分と任意の履行」判例タイムス1号、高島「続不当解雇と仮処分」判例タイムス2号、吉川「労働事件と仮処分」日評法学理論篇一四八A参照）。

このような任意履行の仮処分につづいて、第二次的に賃金支払の仮処分を発令するものも相当数存在する。

【14】「解雇の意思表示の効力を停止する旨の仮処分命令は実体上解雇の意思表示のなかつた状態における包括的な地位を仮設的に形成するものである。従つて、右仮処分命令によつて形成された従業員たる地位にもとずき、労働者が使用者に対し労務を提供して雇用関係の任意の履行を求めたのに拘らず使用者が何ら正当な事由なくこれが受領を拒否することにおいても労働者は民法第五百三十六条第二項により従業員の反対給付としての賃金請求権を失わないものというべきであるから、この権利に基いてその保全の必要性があるときは、更に賃金支払の仮処分命令を求め得る立場にある」(東京地昭三一(ヨ)四〇四八昭三一・一〇・一五決定労民集七・五・九七五日立製作所被解雇者賃金請求事件)。

【15】「第一項仮処分命令のように仮の地位を定める仮処分の裁判は疎明又は保証によつて被保全権利とその保全の必要性の両者が存在することを一応認定した上、本案判決確定のときまでの間における当該権利の実現の遅延その他の法律上の平和を攪乱する現在の危険を除去防止するための暫定的法律状態すなわち仮の地位を形成するものである。従つて仮の地位を定める仮処分の係争物は被保全権利とその保全の必要性の双方又は一方が異る場合には同一ではあり得ないのであつて、かかる場合においては、仮処分申請を認容した先行裁判が後の仮処分申請事件に関する裁判所の判断を拘束するものでないことは当然である。

本件においてこれを見ると、第一次仮処分命令は被申請人の申請人に対する解雇の効力を停止することによつて申請人らが被申請人に対して雇傭契約上の諸権利を有する包括的な仮の地位を形成し、しかもこの形成にかかる法律状態に基く申請人らの満足を専ら被申請人の任意の履行に期待するものであるのに対して、本件仮処分申請は右雇傭関係の存続を前提として申請人らが被申請人に対して有すると主張する具体的な賃金債権を被保全権利としてその仮の行使の必要性があることを理由とするものであつて、両者の訴訟物は完全に同一ではないのである。さすれば当裁判所は第一次仮処分命令が先行しているからといつて当然その拘束を受け本件仮処分申請を必ず認容しなければならない訳のものではなく、本件につき被保全権利及びその保全の必要性の存否につき独自の立場から判断することができるものといわねばならない」（東京地昭三四㈲二一二五昭三五・四・八決定労民集一一・二・三一四銚子醤油賃金請求事件）。

もっとも、複雑な労使関係の実情は、必ずしも債務者の任意の履行のみに期待しえない場合も多いことは前掲事例のとおりであるから、当初より、前記のごとき主文にあわせて、賃金相当額の仮の支払を命ずるもの、就労させることを命じもしくは就労の妨害を禁じるものなども数多く発せられている。

【16】「債権者と債務者の間に労働関係の存否につき争があり、仮にこれを設定するは、労働者は労務を提供し使用者はその対価として賃金を支払う法律関係を設定或は強制するものであつて、かような双務契約の関係を設定する場合は通常この関係をそのまま設定することが適当であつて、この両者の義務を別個に扱い、或は労務の提供の義務のみを命じ或は賃金の支払義務のみを命ずるは、双務契約の関係と異る関係を来すことになり特段の事情なき限り適当とは云えないものと考えられる。本件においてこれをみるに、賃金支払義務の設定のみにて仮処分の目的を達し得るとの事情の認むべきものがないので、前記通常の場合に副う趣旨にて、賃金の支払を労務の提供に関連せしめて命じたものと解せられる原決定は、これを相当と考えざるを得ない」（東京地昭二五㈲二七一六昭二六・七・七判決労民集二・二・一五五池貝鉄工仮処分異議事件）（右原決定の主文は、解雇の効力停止、就労の機会を与えること、既往の賃金仮払を命じている。なお、西川判事は主文の表現につき、この種仮処分の趣旨が雇用関係の形成ないし創設にあるから率直に表現した方がよいと考え、且つ従業員たる地位に関し義務の面まで設定する必要はないし、就労請求権の問題もあるから「雇傭契約上の権利を有する地位」とした旨を述べられる。判例タイムス前掲座談会参照）。

【17】「債権者等は、現にその労働者としての基本的権利たる団結権の侵害を受けているものというべきところ、個々の労働者たる債権者各自においても裁判外又は裁判上その救済を求めることができると解すべきであるが、右違法状態の除去を命ずる本案判決の確定を待つにおいては、それまでに同債権者等の受けるであろう損害は、後記の金額面を除外してもかなり甚大であるといわねばならないから、かかる現在の著しい損害を避止するため民事訴訟法第七百六十条の仮処分として解雇の効力の暫定的停止を命ずることは、後記の賃金仮払とは独立にその実益と必要がある」（神戸地昭三三㈲二九二昭三四・三・二八判決労民集一〇・二・一六八信和工業事件）。

ところが、近時、従業員としての仮の地位と賃金仮払を求めた事案に対し、後者のみを認めて前者の任意履行にまつ部分を却下した注目すべき例として、東京地裁民事一九部の一連の判旨がある。

【18】「申請人はその他に申請人が被申請会社の従業員たる地位を仮りに定めるとの任意の履行に期待する趣旨に帰着する仮処分命令を求めるが、賃金請求権に関しては右のような断行の仮処分を相当とする以上重ねて任意の履行に期待する仮処分をなすことは無意味であるし、それかといつて賃金請求権以外に保全されるべき雇用契約上の権利が存在することについてもなんら申請人において主張するところがないから、右申請部分は排斥を免れない」（東京地昭三四㈠二二〇四昭三七・四・九判決労民集一三・二・三九六コンドルタクシー事件）（ほかに、東京地昭三四㈠二一五七昭三七・七・二七判決労民集一三・四・八七七日本機械計装事件、東京地昭三五㈠二一一八昭三七・九・二八判決労民集一三・五・一〇二三鐘淵ディーゼル事件、東京地昭三七㈠二一八三昭三八・一一・二九判決旬報五二二佐野奨学学園事件など、もつとも同地裁昭三八㈠二一六五昭三九・四・二七決定旬報五二六・三菱樹脂事件は試用者に対する本採用拒否の事案につき地位保全にあわせて過去将来にわたる賃金額の仮払を命じている。なお、任意履行仮処分につき必要性を欠くとするものとしては、東京地昭三三㈠四〇一五昭三五・一〇・一七判決労民集一一・五・四三八立川基地コンメス事件、東京地昭三四㈠二一六〇昭三五・一〇・二一判決労民集一一・五・一一四六天田製作所事件、東京地昭三五㈠二一一〇昭三六・九・二六判決労民集一二・五・八三八東洋大学事件などがある）。

この種の判例はそれらの命令が従来比較的容易に発せられていたことに対する反省として傾聴に値いするものであるが、労働関係の実態から考えると、単に賃金の支払を受けたのみで保全の目的を達しもはや任意履行の仮処分を命ずる余地がないと断じ去るのは早計である。もつとも、賃金支払のほかになお任意履行の仮処分を必要とする点の主張と疎明が債権者に強く求められることは当然であろう。

就労妨害禁止については、使用者に労務受領の義務があることを前提としてこれを命じたもの（大阪地昭二三㈠一〇〇五昭二三・一二・一四決定資料三・五五木南車輌事件、大阪地昭二四㈠ヨ八九〇昭二四・一一・二九決定資料七・二〇六松下電気事件など、なお神戸地昭三三㈠一八昭三三・八・一三判決労民集九・五・七九一田中製作所事件参照）もあるが、特段の事情がある場合（熟練工が長期にわたり就業しないことにより著しく技能の低下を来す場合とか、徒弟契約や出演契約などが就労につき特別の利益のある場合として挙げられる）のほか、一般には就労請求権は認められず（たとえば、大津地昭二四(ヨ)四昭二四・六・六決定資料六・五〇日本電気事件、大阪地昭三三(ヨ)二八三・八・七八昭三三・七・一七判決労民集九・四・四九二布施交通事件、東京高昭三二(ラ)八九七昭三三・八・二決定労民集九・五・八三一読売新聞仮処分抗告事件、名古屋地昭三六(ヨ)五昭三六・一・三〇決定労民集一二・一・四九倉敷紡績事件など）、この部分は却下されているものが多い。

特異な型として条件付に地位保全を認容したものがある。停止条件的なものとしては旭川地昭二五(ヨ)三七事件（昭二五・七・二五判決労民集一、追一三二四旭川新聞配達労組事件は「被申請人等が昭和二十五年一月九日附なした契約解除の意思表示は申請組合員A、B、C、D、E、F、G及びHがその新聞等の集金代金（昭和二十四年十二月分）を被申請人等に提供（但し内学童配達人に対する同二十四年十二月分の給与金及びIに対する同月分の賞与金二百円を控除した残額）し、且つ未集金分についてはそれぞれ被申請人等の確認を得ることを条件として、本案訴訟の判決確定に至るまでその効力を停止する、云々」と命じる）が、解除条件的のものとしては熊本地昭三八(ヨ)一七一事件（昭三八・一二・二六決定労民集一四・六・一五一九新日窒事件。この主文は「被申請人会社が申請人らに対し昭和三八年一一月一日附でなした別紙命令書による意思表示に基づき、申請外南九開発株式会社が申請人らをその従業員として採用するにあたり該命令書中の「一、給与、四、その他の労働条件」に関して採用時における賃金および労働時間が被申請人会社のそれより低下しない労働条件をもつて労働契約を締結することの意思を表示するまでは、被申請人は申請人らを被申請人会社の従業員として取り扱わなければならない」とする）がそれである（その他、広島地尾道支昭二四(ヨ)五昭二四・四・二三判決資料六・一一三日本セメント事件は組合と協議しないで工場の譲渡、閉鎖、長期休業又は諸機構の変更及び之に伴う従業員の解雇をしてはならない旨、熊本地昭二四(ヨ)四七昭二四・四・三〇判決資料六・一三七日本セメント事件も同旨、東京地昭二四(ヨ)一五九〇昭二四・八・八判決資料八・八六国鉄事件は団交を行うことなく定員法により降職又は免職してはならない旨、神戸地尼崎支昭二八(ヨ)五九昭二八・四・一六決定労民集四・三・一〇大同鋼板事件は、団交再開の申入に応じない限り工場閉鎖をとりやめねばならない旨、札幌地昭三五(ヨ)三〇一昭三五・一〇・三決定労民集一一・六・一二九九北炭事件は信義に従い誠実に団交を行わないで工場閉鎖を行つてはならない旨を、それぞれ命じている）。また、さきになした解雇が無効と確定することを停止条件としてなした再度の解雇につき、

【19】「かような意思表示が将来右債権者らの雇傭関係を消滅させる場合のあることは首肯し得られるが、右本案訴訟において会社あるいは債務者が敗訴し確定するまでは、右解雇はその効力を生じないのであり、これをもつて債権者らの被保全権利がすでに消滅したとなすことを得ないのはもちろんである。債権者らが本案訴訟において勝訴に確定すれば、前記解雇の意思表示が効力を生ずべき関係にあることは明らかであるが、これは本案訴訟が会社あるいは債務者の敗訴に確定後あらためて解雇の意思表示をする場合と異なることはなく、この場合は仮処分はその目的を達し爾後その必要がなくなるものであるが、これは本案訴訟の判決確定によるもので解雇の意思表示の有無によるものではなく、これをもつて本件仮処分の必要性を左右

するものではない。しかのみならず、債権者らの従業員たる地位が、仮りに本案訴訟の判決確定後直ちに消滅するものとしても、その消滅までは、それまでの時間の長短に関係なく、現在仮処分の必要があるかどうかを判断すべきものである」（東京高昭二六(ネ)二二四〇・二二七二昭二八・四・一三判決労民集四・二・一二三富士精密工業仮処分控訴事件）（本件の原審は東京地昭二五(ヨ)三一一〇昭二六・一一・一判決労民集二・五・五三七仮処分異議事件）。とした判例がある。不当労働行為として、もしくは心裡留保としての雇用契約解除の合意の効力を停止したものには、東京地昭二七(ヨ)四〇〇九事件（昭二七・六・二七決定労民集三・二・一三三雅叙園観光事件）、神戸地昭三〇(ヨ)四三一事件（昭三〇・一二・一判決労民集六・六・一一六六尼崎製鉄事件）があり、その他、待命休職（神戸地昭三二(ヨ)一二一昭三二・一一・七判決労民集八・六・九〇九神戸タクシー事件、神戸地昭三三(ヨ)一八昭三三・八・一三判決労民集九・五・七九一田中鉄工所事件）、出勤停止（福岡地昭二八(ヨ)三一五昭二八・八・五判決労民集五・六・六七一日鉄鉱業事件、なお、福岡地飯塚支昭三三(ワ)一六〇昭三七・二・二三判決労民集一三・一・一二七日鉄鉱業事件は出勤停止無効確認の利益について判示する。なお、これに反対の判旨は東京地昭三四(ワ)七〇九昭三八・五・一四判決米軍立川基地事件）、停職（熊本地昭三六(ヨ)七〇昭三六・六・一四判決労民集一二・三・五二〇国鉄事件、但し、控訴審福岡高昭三六(ネ)四八三昭三七・六・一八判決労民集一三・三・七六六は必要性の不存在を理由に原判決を取消し申請を却下している）、転勤（東京地昭二六(ヨ)四〇五七昭二七・二・七決定労民集三・一・一〇国民生命事件、浦和地熊谷支昭三二(ヨ)二九昭三二・七・二七判決労民集八・四・四二九関東醸造事件、神戸地昭三三(ヨ)三四昭三三・八・一三判決労民集九・五・八三五田中鉄工所事件、千葉地昭三五(ヨ)一〇七昭三五・一二・六判決労民集一一・六・一三九七塚本総業事件）等の意思表示の効力停止をうたったものもある（なお、譴責について、それが始末書を提出させて将来を戒めるにとどまり意思表示と解せられないとして却下した東京地昭二六(ヨ)四〇六五昭二六・一二・二八判決労民集二・六・六五四・三越事件、主任たる地位の保全を求めた事案につき、主任は従業員の職務内容を表示するに過ぎず法律上の地位を表示するものでないとして却下した広島地呉支昭三六(ヨ)一七昭三七・二・一二判決労民集一三・一・八五呉造機事件がある）。

（二）　金員給付を命じる仮処分

この種仮処分としては、戦後の経済混乱期における賃金遅欠配にからみ、賃金の仮払を命じたものがまずあらわれたが、さらに企業整備人員整理にかかる賃金・退職金の支払（仮差押ももとより利用されたが）、殊に今日でも見られる数多い例として地位保全にあわせて賃金の支払を命じたもの、その他休業手当・諸手当・賞与等の支給を認容した例も若干ある。労使いずれの申請をも通じ、その多くが債権者の満足を目的とするものであり、しかも極めて広く利用され今日に至つているのであるが、かかる仮処分が仮処分本来の仮定性・暫定性の性格に照らして許容されるものか否かについては論議のあるところである。とくに金員給付の仮処分は、債務者がそれに従つて給付をしてしまえば、後日本案訴訟で債務者が勝訴しても、原状回復が不能もしくは著しく困難になる場合が多いことは容易に想定できるから、一層問題がある。

【20】「民事訴訟法第七百六十条に所謂仮の地位を定める仮処分は係争の権利関係が数回の行為を目的とし若しくは占有の状態を維持するが如く其の性質に於て継続するときに於てのみ許されるものであるが、本件に於ける債務関係は仮りに申請理由の様に分割払の約定があつたとしても、それらは夫々一回の給付に由り消滅するところの権利関係に属するものであるから右仮処分の許されたる場合に該当しない」（神戸地姫路支昭二四(ヨ)一五昭二四・四・四決定却下、資料四・一一三日本電気製鋼所退職金請求事件）。

右の例は一回限りの給付で消滅する請求権に仮処分を許さなかつた初期の例であるが、これを認容すべきであるとして言及するものに、

【21】「一般に係争権利関係につき、紛争の解決を本案訴訟の解決にまつにおいては、権利実現の遅延により債権者に著しい損害を蒙らしめ、後日勝訴の判決を得ても最早権利の実現は無価値に帰し、権利の内容たる実質的の利益を享受することができなくなる等その他これに類似の切迫した危険が現存する場合には、かかる危険を除去する為めに仮処分命令を以て当事者間に仮の地位を形成し、債権者に仮の満足を与えることが許される」（東京高昭二五(ネ)四〇五昭二五・一一・二八判決労民集一・六・一一四九国鉄裁定第二次事件控訴審）。

【22】「専ら賃金収入によつてその生計を維持するのが一般である賃金労働者が、使用者からその従業員たる地位の喪失をきたすような処分（本件でいえば待命休職処分）をうけ、その処分の効力を争つて訴訟を提起する場合において、該訴訟を滞りなく追行し勝訴の確定判決を得るためには何よりもまずその間における生活維持の保障を得ることが前提条件であつて、こ

れを欠くときは権利の終局的実現は覚束ない結果になつてしまう。そこで、上叙処分の効力を争う本案訴訟についての被保全権利の存在が一応疎明されるときは、該訴訟の判決が確定するまでの間被申請人等にかりの従業員たる地位を認め、賃金の仮払いとして平均賃金額の範囲において訴訟追行中の将来の生活維持に必要な限度の金員の支払を命ずる仮処分も、やはり本案訴訟において確定せらるべき請求につきその固有給付を保全するに必要な緊急措置として許さるべきものと考える」（大阪高昭三二(ウ)四七四昭三二・一一・一五決定労民集八・六・一〇四八神戸タクシー仮処分執行停止事件）。

【23】「賃金の支払を命ずる仮処分が権利侵害の態様に応じて法の認容する制度の一つであることは、民事訴訟法第七五八条第二項に照して明かであるばかりでなく、違法無効な解雇という労働者の生存権に対する権利侵害が当該労働者に対して事実上回復し難い精神的物質的損害を与えてしまう場合のあることに想到すれば、使用者側の与えるかかる著しい権利侵害の事実に目を覆うて、仮処分によつて給付した賃金の事実上の回復不能の一面のみを強調するのは、片手落ちのそしりをまぬがれない」（大阪高昭三二(ネ)一〇九〇昭三三(ネ)六八昭三八・二・一八判決労民集一四・一・二九八川崎重工業仮処分控訴事件）（その他、大阪高昭三三(ウ)三二三昭三三・七・二四決定労民集九・四・五九五布施交通仮処分執行停止事件、東京地八王子支昭二四(ヨ)一九昭二四・五・一三判決資料六・九二日本セメント事件、静岡地昭二八(ヨ)一四三昭二八・八・二一決定労民集四・五・四〇五日産自動車事件、神戸地昭三一(ヨ)二九昭三二・九・二〇判決労民集八・五・五七八川崎重工事件、神戸地昭三三(モ)一八四昭三三・三・一二決定労民集九・二・二二八神戸製鋼事件、広島地昭三六(モ)二四九昭三六・三・一一決定労民集一二・二・一四九広島厚生事業協会事件等参照）。

がある。兼子教授は、民訴七六〇条の仮処分は「一般的に権利関係についての紛争の終局的解決がつかないために当事者が現在の生活関係上著しい急迫状態に陥り、または回復することのできない損害を受けるおそれのある場合に、その救済として暫定的な法律状態を形成し、その維持実現を図ることを目的とする。そこで請求権についても、その存否範囲に関し争があるなどの事情から、債務者の任意の即時履行に期待できないために、権利者がその生活関係上急迫状態に追込まれる場合を救済するためにもこの種の仮処分が必要となるわけであつて、仮処分により暫定的に請求権の全部または一部の実在性を形成し、その執行力に基く強制執行を許すことになる。」そして同条の「継続スル権利関係」につき「理論上は特に継続的関係についての紛争についてこの種の仮処分を必要とする場合が多いという意味での例示であつて、一回給付を目的とする請求権についても、その履行の遅延が債権者に現在の危険を生じる場合はこれを除外する理由はない筈なのである。」と説かれ（民事訴訟雑誌八号「満足的仮処分と本案訴訟」）、吉川教授もつとにこの種仮処分を許す必要と根拠があることを力説されている（吉川・増補保全訴訟の基本問題「申請人の満足を目的とする仮処分」吉川・判例保全処分19 22等、なお、沢栄三・保全訴訟研究「仮の地位を定める仮処分の満足的機能」「仮の地位の仮処分と継続的法律関係」「申請人の満足を目的とする仮処分と執行停止」柳川・新訂保全訴訟一一五頁、一四二頁以下参照）。満足的仮処分は継続的関係に限らず、権利実現の遅きに失するところからする急迫状態より債権者を救済するに必要な限度において許容されるべきものである。

（三）　団交を命じる仮処分　債務者（使用者）に団体交渉に応ずることを命じた例としては岡山地昭二五(ヨ)九八（昭二五・五・二六決定労民集一・三・四八八品川白煉瓦事件）のほか団交拒否を禁ずる大阪地昭二九(ヨ)二二〇七（昭三〇・四・二一決定労民集六・三・三一八阪神電鉄事件）福井地昭三四(ヨ)二一四（昭三四・三・一六決定労民集一〇・二・一三九福井交通事件、この決定はなお旧組合が新組合の行う団交を妨害してはならない旨を命じている）がある。この点については、つぎのような判旨があるが、団交応諾を命ずる仮処分の発令については、その性質上、なお疑問がある。

【24】「団体交渉権は労働者が使用者に対し具体的に特定している意思表示を請求しうる権利ではなく、将来具体的に確立さるべき法律行為に到達するための協商を行うべきことを求めうる権利である。すなわちそれはいわゆる団体協約の締結を究極の目的とするものである。而して団体協約の結実に至る過程としての右協商は固より当事者の行う事実行為に過ぎないが、かかる事実行為が前提となつて労働者の権益を確保する団体協約が実現するのであるから、被申請人の主張するように、これ

を目して単なる『能力』乃至『可能性』と判定し去ることはできない。労働組合法第七条第二号が団体交渉の故なき拒否を使用者の不当労働行為とし、同法第二十七条が労働委員会にこの種の不当労働行為の排除につき適切な命令を発しうることを規定し、更に同法第二十八条及び第三十二条がその命令の間接強制力を保障するために罰則を設けているのは、このことを端的に表明したものというべきである。団体交渉権が団体協約締結強制権でないの故を以て、その権利たるの本質を無視しようとするのは労働法上の権利概念を市民法的な法律概念を以て律し、その特殊性を抹殺しようとするものであつて排斥されなければならない。」「団体交渉に応ずべき旨の請求は給付訴訟の客体として妨げなきものといわなければならない」(東京地昭二四(ヨ)一五九〇昭二四・八・八判決資料八・八六国鉄定員法事件)。

（四）　協約・就業規則の効力に関する仮処分　　協約当事者である労働組合が、上部団体に加盟して自らはその分会と名称を変更したことに関し(山口地昭二三(ヨ)三七昭二三・一一・九決定資料一・二八四徳山鉄板事件)、或いは所属する上部団体を変更したことに関し(名古屋地昭二三(ヨ)二九五昭二三・一二・八判決資料三・一六二全金豊和分会事件)、また或いは連合体を単一の労組として従来の単位組合が新しい単一組合の支部となつたことに関し(東京地八王子支昭二四(ヨ)一八昭二四・四・六決定資料四・一三一日本セメント西多摩支部事件、広島地福山支昭二四(ヨ)一〇昭二四・四・二三決定資料四・一三六日本セメント御野支部事件、広島地尾道支昭二四(ヨ)五昭二四・四・二三判決資料六・一一三日本セメント糸崎支部事件、福岡地小倉支昭二四(ヨ)二一―二三昭二四・五・二四判決資料六・一五八日本セメント門司スレート支部事件、大分地昭二四(ヨ)一〇昭二四・五・一九判決資料六・一四六日本セメント佐伯支部事件など)、その他脱退者による第二組合結成をきつかけとして(山口地昭二三(ヨ)四二昭二三・一二・二四決定資料三・一六二全金東洋鋼鈑分会事件、名古屋地昭二三(ヨ)二九五前掲全金豊和分会事件、東京地昭二八(ヨ)四〇二一昭二八・八・一九決定労民集四・四・三四八電産協約事件など)、使用者が労働協約の失効を主張するところから、協約を有効とする労働組合の申請を認容した仮処分命令がある。その主文には、〇〇日締結された労働協約に基く労働組合たる地位を保有せしめる(前掲、徳山鉄板事件、全金豊和分会事件)、協約を有効なものとする(前掲全金東洋鋼鈑事件)、協約が〇〇日まで有効であることを仮に定める(前掲、電産協約事件)、〇〇日締結された協約に基く地位を持つということを仮に定める、従つて右期間内は争議行為として許される場合を除くのほか右協約の定むるところによらなければ申請人組合の組合員が就業している工場の譲渡、閉鎖、休業及び申請人組合員の解雇をしてはならない（前掲、日本セメント門司スレート事件）、などとした例、その他協約違反の行為を禁じたり（前掲、日本セメント佐伯支部事件、同御野支部事件はさらに、申請人組合に諮ることなく閉鎖、休業、事業の縮少、組合員の馘首、賃金の支払その他労働条件につき従前の協定に基く待遇を不利益に変更してはならない旨を併せ命じている）、雇用関係に基く法律関係につき協約の条項に従うことを命じたり（前掲日本セメント西多摩支部事件、なお、東京地昭二四(ヨ)二一八五昭二四・一〇・二六決定資料七・三二六日本油脂事件は協約の一般的拘束力に関連して直傭員の雇傭契約に基く労働条件につき従業員組合との間の協約に従うべき旨を命じている）した例もある。右のうち、佐伯支部事件の判旨は、本件のような仮処分は必要の限度においてのみなしうるものであるから一応協約の有効期間内に限り仮処分をすれば足りるように考えられるけれども、六ケ月の自動延長が定められてあり、場合によつては右有効期間の延長を生ずることなきを保し難いとして、協約違反の行為の禁止を命ずる主文に附加して「但し有効期間（同協約六六条に基く延長期間を含む）の満了により右協約の終了すべき場合においてはこの限りでない」とするのに対し、前掲門司スレート支部事件では当事者間の実情から自動延長をみることは万が一にもありえないとして有効期間満了日までの地位保全を命じている。

このような事案は、一定の期日まで有効とされる法律関係の存否が争いとされるものであり、一定期日を経過すればもはや本来の給付を求めることはできなくなる性質のものではあるが、この点につき兼子教授は、「満足的仮処分は本案訴訟における確定判決が早期に得られないことにより生じる危険、損害の救済を目的とするものであるから、本案訴訟による請求が近い将来における時期の到来又は一定の事実の発生によつて、その本来の形では維持できなくなることが予想され、しかもそれまでには本案訴訟における判決が期待できないことが明らかな場合においても、否むしろその場合こそ一層必要となる。すなわち将来の給付の訴を提起しても間に合わない場合であるが、本案がどうせ間に合わないという理由で満足的仮処分を拒否すべきではなく、起訴と判決との時差のない状態を形成することこそ、この種仮処分の使命といわなければならない」（もつとも、損害賠償その他の請求で事後的な代償を得ることで足りる場合は除かなければならないし、認容に当つては急迫な危険ないしは回復できない著しい損害を受けるおそれがある場合に限られる、民事訴訟雑誌八号「満足的仮処分と本案訴訟」）と説かれる。前掲電産協約事件昭和二八年八月一九日決定が、同年九月一八日まで協約が有効であることの仮の地位を定めたのはこの意味では正しく、またしたがつて右仮処分の異議事件では、協約延長期間満了後の同年一一月一六日、確認の利益がないことから右決定を取消し申請を却下している（東京地昭二八(モ)一〇三九一労民集四・六・五七一）のも当然である（なお、山口地昭三七(ヨ)五昭三七・六・一八判決労民集一三・三・七四三鐘紡労組防府支部事件は、勝訴判決を得てもその時には権利停止の期間が経過してしまうおそれがあり、損害が回復できないことが明らかであるとして労働組合のなした権利停止処分の効力停止を命じている）。

そのほか、会社が乙組合と締結した労働協約のユニオンショップ条項を理由として甲組合員を解雇してはならない、と命じたもの（山口地昭二九(ヨ)三五昭二九・四・一三決定労民集五・五・四七五元山運輸事件）、苦情処理手続による協約の解釈運用の解決に至るまで会社は希望退職者募集に関する行為をしてはならない旨を命じたもの（福岡地昭二六(ヨ)二四四昭二六・七・三〇決定労民集二・五・五八六九州電力事件）、協定違反の解雇を事前に禁止したもの（熊本地昭三八(ヨ)一一昭三八・八・一二決定判タ一四八新日本窒素水俣工場事件）などがある。

就業規則の条項を使用者が変更するのにつき、協議条項ないしは同意条項に違反して行つたとする事案に対し、申請を認容した主文には、就業規則中変更部分の効力を停止するとしたもの（神戸地昭二四(ヨ)一一〇昭二四・六・八決定資料六・二〇五帝国酸素事件、名古屋地昭二五(ヨ)二三〇昭二五・六・二四決定労民集一・四・六七〇トヨタ自動車事件、本件は右主文にあわせて右停止期間中従前の就業規則によることを命じる）、変更規定の効力を生じないことと仮に定める、ないしは、無効とするというもの（大津地昭二五(ヨ)三一昭二五・一〇・一三決定労民集一・五・八七五中川煉瓦事件、本件も変更前の規定によるべき旨を併せ命じている。なお秋田地大館支昭三二(ヨ)六昭三二・六・二七判決労民集一一・一・五七秋北バス事件、函館地昭二五(ヨ)三六昭二五・五・一判決労民集一・二・二七九函館船渠事件）、変更前の規定が現に効力を保有することを仮に定めるとするもの（名古屋地昭二四(ヨ)四四七昭二四・一二・一九決定資料七・三三四全金愛知製鋼事件）、変更前の規定により処理しなければならないとするもの（東京地昭二五(ヨ)二一七三昭二五・七・三一決定労民集一追一三一四理研発条鋼業事件）などがある。

（五）工場閉鎖禁止等の仮処分　この種の仮処分には、使用者が労働協約の有効期間中に協約に定められた給与基準の変更の要求を貫徹するため、および協約違反の解雇に承服させるために行った作業所閉鎖が、協約に内在する平和義務に違反する不当なものであるとして発令された例（東京地昭二四(ヨ)一八二五昭二四・九・二九決定資料七・九四鉄道機器事件）、協約に「団交の手続中は双方共一切の争議行為を行うことができない」と定められ、かつその前条で、団交が決裂しても再開申入には応ずる義務があること、但しこの場合には次条を準用しない旨が定めてあるのに、組合の再開申入に応ぜず団交を拒みながら工場閉鎖を継続している事案につき、団交再開の申入に応じない限り工場閉鎖の取止めを命じた例（神戸地尼崎支昭二八(ヨ)五九昭二八・四・一六決定労民集四・三・一〇大同鋼板事件）などがある。争議行為としてではなく専ら経営上の理由から実施された工場閉鎖の禁止を命じた例もある（例えば、広島地尾道支昭二四(ヨ)五昭二四・四・二三判決資料六一一三日本セメント事件、熊本地昭二四(ヨ)四七昭二四・四・三〇判決資料六・一三七日本セメント事件、札幌地昭三五(ヨ)三〇一昭三五・一〇・三決定労民集一一・六・一二九九北海道炭砿汽船事件、いずれも協約条項に根拠をおいている）。

（六）その他　労働組合の行う除名処分の効力が司法審査の対象となることにつき判示した若

干の裁判例がある（長崎地佐世保支昭二九(モ)一四九昭二九・七・二三判決労民集五・六・六一七潜竜砿労組事件、東京地昭二九(ヨ)四〇一七昭三〇・六・三〇決定労民集六・四・三八九杉田屋印刷事件など、なお、寄宿舎自治会による会員除名処分につき名古屋地昭三六(ヨ)七七五昭三七・三・二七判決労民集一三・二・二三九東洋レーヨン愛知工場自治会事件、組合員に対する権利停止処分につき新潟地昭三五(ワ)七二昭三七・三・三〇判決労民集一三・二・二五九電気化学青海工場事件、右東洋レーヨン事件の控訴審名古屋高昭三七(ネ)一九六昭三八・五・一六判決労民集一四・三・七四八は共同体である社会的団体が自律権の発動として行う制裁処分については裁判所は原則として審査権を有しないが、例外的に、制裁処分が被処分者に対し客観的に著しい不利益を与え、国民の権利を保全する司法の立場から黙視できない程度の場合には、司法審査権の範囲に属する、という）が、次の例は、除名された組合員が労働協約のショップ条項に基き解雇されたので失業による生活の困窮を理由に、組合に対して当該除名処分の効力の停止を求めたのにつき、その仮処分申請を却下したものである。

【25】「しかし控訴人等の被控訴人組合を相手方とする仮処分が第三者たる前記名古屋市交通局を拘束しないことはいう迄もないことであつて、たとえ控訴人等が右のような仮処分の裁判を得たとしても名古屋市交通局は、その独自の見解によつて控訴人等の除名を正当と認めるならば控訴人等主張のような労働協約をたてにとつて解雇の取消に応じないであろう。したがつて、右のような仮処分の裁判があれば名古屋市交通局は控訴人等を復職させるであろうというのは、控訴人等の独りよがりの希望的観測に過ぎないものといわねばならない。たとえ右交通局が控訴人等を復職させるようなことがあつたとしてもそれは仮処分の効果としてではなく右交通局自らの事情によるものである」（名古屋高昭二四(ネ)三五昭二四・七・二三判決資料七・三四九名古屋交通労組事件）。

【26】「名古屋交通局が……『解雇を取消すかも知れない』というくらいのことでは仮処分の理由となり得ない。本件仮処分は『除名処分が無効である』という終局的の裁判をするのではない、只一応の疎明によつて仮りに一時除名処分の効力を停止するだけのことであり、全く当事者だけのものであつて、第三者たる名古屋交通局に何等影響を及ぼすものではない。」「上告人が本件仮処分申立の様な理由で仮処分を求めるなら名古屋市を相手として解雇処分の効力の一時停止の仮処分を求むべきであつた、本件仮処分が右名古屋市相手の仮処分に先行しなければならない理由もないし、その基礎となるものでもない」（最高裁昭二四(オ)二二〇昭二六・一・三〇第三小法廷判決労民集二・三・三九三）（前掲事件の上告審、三ケ月＝中務「戦後の仮処分判例の研究」民事訴訟雑誌一巻、なお前出名古屋地昭三六(ヨ)七七五昭三七・三・二七判決労民集一三・二・二三九参照）。

解雇による生活の困窮という損害を避けるためには、使用者を相手にして従業員としての地位保全を求めるべきであり、特にそれを必要とするような事情（札幌地岩見沢支昭二七㋵二〇昭二七・七・二九決定三井美唄労組事件参照）、がないかぎり、本件申請のような方法は適切ではない（鹿児島地昭三四㋵八五昭三五・四・三〇判決労民集一一・二・三九三南薩鉄道労組事件及び前出杉田屋印刷事件は除名されたが解雇にはなつていない例、名古屋地昭三二㋵四二昭三二・一〇・三判決労民集八・五・五五七尾張交通労組事件は前掲名古屋交通局事件と同種のものであるが、除名による生活の脅威を理由とする申請に対し除名処分の効力停止を命じている。前掲長崎地佐世保支潜竜砿労組事件も同様。なお、組合に対しては組合員としての地位保全とそれに基く権利行使等の妨害を禁じ、会社に対しては就労、給与の支給等を命じたものに和歌山地昭三二㋵二二九・二三〇昭三二・九・一六判決労民集八・五・五四二野上電鉄事件がある。また、組合員としての諸権利を停止された組合員がその決議の効力の停止を求めた事案につき、これを認容したものに東京地昭二五㋵一四〇二昭二五・九・八決定労民集一・五・七八七都職労事件、甲組合が解散したので同一企業内の乙組合に加入したところ加入を取消された事案につき、組合員としての地位を保全したものとして福岡地昭三三㋵三三四昭三三・九・四決定労民集九・六・八八一・九州電力労組事件）。そのほか、組合大会の決議の効力を停止するもの（岐阜地大垣支昭二五㋵四五昭二五・八・一決定労民集一・六・一一二七電産大垣分会事件、但し、異議により取消却下岐阜地昭二五㋲一二昭二五・一二・二八判決労民集一・六・一一〇五参照、福岡地昭三三㋵一〇〇昭三三・三・一八決定労民集九・二・一〇五・八幡製鉄労組ストリップ支部事件、東京地昭三七㋵二一七四昭三七・九・二二決定労民集一三・五・九九八東水労事件など）、古い例ではあるが下部組合が上部組合から脱退する旨の決議の効力を停止したもの（岐阜地大垣支昭二四㋵二四昭二四・五・二三決定資料六・二三〇、同昭二四㋵三五昭二四・六・二一決定資料六・二三四太平洋工業労組事件）、甲組合に対し乙組合員の就労妨害や組合事務所使用の妨害を禁止したもの（山口地昭二三㋵四一昭二三・一二・二二決定資料三・一九東洋鋼鈑事件、東京地昭二四㋵二三三四昭二四・一〇・一五決定労民集一・一・一二五東芝足立事件）などがある。

また、使用者に対し、寄宿舎などの使用の妨害や給食を中止したり外部との交通を妨害したりすることを禁止し（静岡地昭二九㋵二二四、二三九昭二九・七・一〇決定労民集五・三・三四九近江絹糸事件）、組合事務所の使用など組合活動の妨害をすることを禁止し（宮崎地延岡支昭二四㋵一三昭二四・二・一五決定資料三・一八八旭化成事件、名古屋地昭二三㋵三一五昭二三・一二・八判決資料三・一八九豊和工業事件、岡山地昭二五㋵九八昭二五・五・二六決定労民集一・三・四八八品川白煉瓦事件、東京地昭三三㋵五三〇八昭三三・一〇・二〇決定労民集九・五・七八八共同製本事件、東京地昭三三㋵五三二八昭三四・二・三決定労民集一〇・一・六三小竹製作所事件、神戸地尼崎支昭三〇㋵一六五・一六九昭三〇・一〇・一〇決定労民集六・五・六八〇利昌工業事件は組合が脱退者に対し工場構内で説得活動を行うことを妨害してはならないと命じている）た例もあり、会社が地位保全賃金支払の仮処分命令を不当に回避しようとし、工場閉鎖や財産隠匿を図ることなどから、会社に対し臨時株主総会において商号の変更または会社解散の決議をしてはならない、としたもの（長野地松本支昭三〇(ヨ)五五昭三〇・一一・一〇決定労民集六・六・一一五九信州日々新聞事件）、会社が組合壊滅を目的として解散を行つたとして組合から申請した会社清算手続の停止・清算人の職務執行の停止を認容したもの（神戸地社支部昭三五(ヨ)一一昭三五・三・一決定労民集一一・二・一三一小畑製鉄所事件、本件はその後異議において取消され、控訴も棄却された、前掲【10】判例参照）もある。なお、未払賃金請求の訴訟を提起するため未払額の明細を知る必要があることを理由として賃金台帳等の閲覧を求める仮処分申請を却下した次の例がある。

【27】「法律上労働組合に使用者備付の抗告人主張の如き帳簿（註、賃金台帳等）閲覧請求権は認められず、且つ、当事者間の労働協約等で抗告人にこれ等の帳簿を閲覧せしめる旨の定めがあることの疎明もないから、帳簿閲覧を求める本件仮処分は民事訴訟法第七五五条及び同法第七六〇条所定のいずれの仮処分にも該当しない」（広島高岡山支昭二五(ラ)七昭二六・四・一六決定労民集二・六・六四五備前ゴム事件）。

五　仮処分の必要性

一　使用者側申請のもの

使用者側が申請する仮処分には、すでに述べたように、労働争議にあたり、組合側の争議行為を違法として、所有権・占有権などにもとづいてなされるものが多く、被保全権利の存在が比較的容易に認められる反面、それが当該争議の動向に甚大な影響を与えるおそれがあるところから、現実には、しばらく発令を見合わせて、その間労使の交渉を促し、争議そのものの解決を図ったり、暫定的な取り決めないしは違法状態の自発的な是正を勧めるなどして、仮処分の発令を見合わせ、それによる悪影響を避けている場合が多い。また、仮処分を命ずるのに当っても、必要性の観点からする慎重な考慮が払われていることが、のちに掲げる若干の判例によってもうかがえる（福島地平支昭三一㈢一〇昭三一・三・一七決定労民集七・二・三六三古河好間事件は、ロックアウト実施前に同坑の一定区画を設備共執行吏保管に付し組合側の立入を禁止した稀れな例の一つである。当時、石炭各社による全国一斉のロックアウトが計画され、その実施に先立ち各地の裁判所に数十件の仮処分申請がなされたが、そのほとんどは審尋を行ったかまたは行わないままに進行をとどめ、その後取り下げられ、強行就労など現実に必要性の認められる如き事態のあった杵島（佐賀地昭三一㈢二九昭三一・三・二〇決定労民集七・二・三七一）太平洋（釧路地昭三一㈢一七昭三一・三・二二決定労民集七・二・三九四）北炭（札幌地岩見沢支昭三一㈢一二昭三一・三・一九労民集七・三・五二八）の各山につき仮処分が発せられた。この争議にあたりロックアウト開始前に仮処分が発令されたのは前掲古河好間のみであり、右事件では必要性の認定が機械的に行なわれた感が深い）。

仮の地位を定める仮処分について、民訴七六〇条但書は「著シキ損害ヲ避ケ若クハ急迫ナル強暴ヲ防グ為メ又ハ其他ノ理由ニ因リ之ヲ必要トスルトキ」にのみ、この種仮処分を認めているところ、右の必要性の要件をなす損害につき、仮処分をしないことにより債権者がこうむる経済的損害を挙げるのがふつうであるが、なかには、さらに進んで、債権者の受ける損害と仮処分発令により債務者の受ける損害との比較考量を試みるもの（例えば、広島地呉支昭二八㈦六四昭二八・一一・五判決労民集四・五・四一一尼崎製鉄仮処分異議事件）や、金融機関・バス会社などの争議につき事業の公共性や違法な争議が公衆に与える影響などに言及してその必要性を強調するものもある（鹿児島地昭二九㈢一五一昭二九・九・一三決定労民集五・五・五八八鹿児島銀行事件、函館地昭三〇㈢五七昭三〇・八・三〇判決労民集六・五・六五二函館バス事件、青森地弘前支昭三五㈢四七昭三五・五・二七判決労民集一一・三・五九四弘南バス事件。この点に関連して、吉川教授は「現行の民事訴訟制度乃至民事訴訟法の建前では、その追求する国家的目的は私権の実現確保による私法秩序の維持に尽き、積極的に国家的乃至社会的損害を除去防止することはその使命ではない。従つて、その一環としての仮処分により国家的乃至社会的損害の生ずる場合においても、その損害が仮処分を通じての権利濫用の結果と見られ得ない限りは、仮処分の許否又は取消などにつき斟酌するのは行き過ぎであり、民事訴訟制度の建前に副わない」とされる（民商法雑誌一一巻一号、保全訴訟の基本問題「仮処分の取消と国家的損害の顧慮」）。なお、柳川＝高島・労働争訟一四三頁以下、慶谷・ジュリスト二五六号など参照）。

次に使用者側の申請の全部または一部を却下したおもな事案につき、その理由を検討すると、近江絹糸本社事件（大阪地昭二九㈢一八七六昭二九・七・五決定労民集五・三・三一二）は、申請人側役員、従業員、取引先などの出入、食糧その他の物品の搬出入の妨害禁止を命じたが、本社建物等の執行吏保管、組合員の立入禁止を認容しない理由として組合員による若干の器物造作の損壊、建物内への潜入の事実を認めた上、

【28】「かかる行為は会社側における団交の実質的回避乃至延引の態度に反撥してなされた散発的行為とも解せられるのであつて、これを以て組合による右本社建物の全面的占拠又は破壊の意思の連続的活動とまでみて、かかる占拠又は破壊の危険性が現存する状況にあるものとは未だ認められない。………又右建物の各出入口外側及びその敷地部分に対する同様の趣旨の仮処分申請は、これを許容するにおいては組合のピケを全面的に排除するに等しい結果を招来するものであるだけに、一層慎重に考慮すべきであつて、………未だその必要性を認めない」

とのべ、千土地興業事件（大阪地昭二九㈢三六五六・三六七七昭二九・一二・二八決定労民集五・六・七六八）は、会社が夏季手当解決金および年末手当に関する協定成立後三日にして組合に新提案を行ない、解決金等の支給を新提案の受諾に係らせる措置に出たことは、自ら争議を誘発したものであり、会社が右協定を履行すれば争議はおのずから解決する筋合にあること、第二組合員に対しては既に年末手当の支給を了していること、などを認定した上、

【29】「第一組合のスト中に会社が第二組合員に対して就業命令を発し、その就業によつて劇場・映画の再開をはかることは、みぎ覚書㈢（註、「会社は今後第一組合との労働協約を遵守し統一のため誠意をつくすことを確約する」）の根本精神に反するものであ」り「これを強行することは労働良識に照し許されない」「会社が第一組合に対し夏季手当解決金等を支給していない現段階においては第二組合員の出入妨害禁止を求める限度においてはその必要性を欠く」「従つて又第二組合員の就業に

よる営業の再開を前提として、顧客の出入妨害を求める点についても亦その必要性を欠く」とし、また、階段、電飾燈覆の破壊もピケライン突破のもみあいに際して起つた偶発的事故とみられるから組合による建物破壊の意思の連続的発動とみてその危険性を認定するのは困難であり、劇場扉の戸締りや一時立入りも組合による建物の全面的占拠の意思の連続的発動とみて危険性ありとすることもできない、と述べて、第二組合員や顧客の建物への立入妨害禁止とピケ中の組合員の建物への立入禁止の申請はいずれも却下し、非組合員のみに対する立入妨害を禁ずる旨を命じている。

また利昌工業本社事件（大阪地昭三〇㈢一六八七昭三〇・九・三決定労民集六・五・六六二）は、

【30】「七月一一日及び一二日には会社が組合の幹部を除いた全従業員に対し矢継早に葉書を発送して組合指導者を誹謗し、組合指導者につくことは失業を意味するものの如く示唆して組合員の人心動揺並に組合員と組合幹部との離間を策し組合を内部から分裂させてその弱体化をねらうが如き行動に出ると共に会社は翌七月一三日には前述の如く突如希望退職者を募る、希望者がないときは指名解雇する旨の人員整理案を公表し、会社がかかる途を選ぶのは争議の続発による経営不振に基くことを全従業員に訴えるに至つた。その後組合を脱退する者が相当の数に達し、七月二二日には前述の如く第二組合の結成発足をみることとなつた。これら一連の事実から洞察するときは、少くとも七月一一日以降組合を脱退した者については、失業の脅威を以て組合の切崩しをねらつた会社の行為に影響されて組合脱退を決したのではなかろうかとの疑念を払拭することができない。従つて、かかる疑念を持たれるような環境の下に組合を脱退した者につき、これを会社がスト中の操業に関与させるため組合側の出入妨害の排除を求める部分については、これを許容するときは、結局において会社のかかる不当な行為を助長することになるおそれがあるから仮処分による保護の必要性がない」「会社の構内敷地及び建物について」「組合はそのピケラインの延長として正門附近の構内敷地の一部だけを会社の占有と競合して占拠しているものと考えるのが相当であるばかりでな

く、この部分について組合側の占有を排除して執行吏保管とすることは、組合のピケの一拠点を失わしめるに等しい結果を招来する地理的状況にあるだけに、一層慎重に考慮しなければならないのであつて、組合において会社建物を破壊する意思を有するともみられない争議の現段階では組合の占有を排除して執行吏保管とする必要性を認められない」

として、会社の使嗾により組合を脱退した者の出入妨害排除と、ピケによる占有部分につき執行吏保管を求めた申請部分を却下し、右脱退者以外の従業員・第三者等の出入、物品の搬出入の妨害禁止と、会社の事務所占有使用の妨害・立入の禁止のみを命じている。

金星製紙事件（高知地昭三五(ヨ)二四六昭三六・一・二八労民集一二・一・一七、なお、本件についてはさきに組合事務所その他一部の建物を除き組合の立入を禁止し、会社役員、組合員以外の従業員、第三者の出入・原材料製品等の搬出入の妨害禁止を命じる仮処分が発令されている。高知地昭三五(ヨ)二〇六昭三五・一二・一三決定労民集一一・六・一四一七）は、ロックアウト後会社の土地建物が第一組合員によつてその占有を奪われた事実を認定した上、

【31】「申請人は、本件土地に対する占有が奪われたことを理由に同土地の回収の保全として執行吏保管を求めるが本件土地は第一組合員のピケットの唯一の地点であり、現在も会社従業員たる地位にある第一組合員の占有を奪うことは、同組合員の争議権の行使を不能若しくは著しく困難ならしめる結果を招来させること明らかであり、かつ前記認定の事情からすれば、現在これを認める必要性もないと考えられる。」「現在会社通用門前に設置された木柵一個はピケットの方法として、妥当なものとは認められないが、前記認定のように現在本件土地には右木柵のほか妨害物はなく、会社の原材料、製品は工場から搬出され、会社役員及び第二組合員の出入も正門から可能である点を考慮すると、直ちに右木柵の除去を認めるに足る必要性はないものと考えられる。」

「申請人は、第一組合員による本件土地に対する、将来の妨害物の設置又は人力による原材料、製品の搬出入ならびに人の出入妨害排除を求めているが、このような妨害排除をする権限を執行吏に包括して附与することは、執行吏の権限を不当に拡大する結果となり………第一組合員の争議権の行使を困難ならしめるものというべく、前記認定事実からして、現在これを

認める必要性がないと考えられる。」

として、ピケの占有する会社敷地の執行吏保管、木柵除去、将来の妨害予防に対する申請を却下している（なお、西日本放送事件（高松地昭三八(モ)一七八昭三八・七・三一判決労民集一四・四・一〇〇七）は、時間の経過により組合の実力行使的なピケも解除され、現在は事業場を完全に占拠するという性質のものではなく、平和的説得の限度をこえるとしてもそれは出入妨害程度のものであるから、その妨害の禁止を求めれば足り、組合の占有を解除して執行吏保管に付する必要はない、とする。なお、北海道放送事件（札幌地昭三七(ヨ)九一昭三七・四・五決定労民集一三・二・三八七）は、使用者がロックアウトをしないかぎり、組合は就労拒否に附随する行為として事業場内にピケをはることは許されるから、各職場にピケをはるための建物内立入りを直ちに排除する必要はないとする）。

錦タクシー事件（大阪地昭三一(ヨ)一一五七昭三一・七・七決定労民集七・四・七六四）は、会社に時間外等割増賃金不足分の支払を拒む理由がないこと、会社に団交回避の傾向があり争議解決の熱意を欠くこと、一人の代替労働者で一輌の稼動が可能となる特質が存在すること、被申請組合員三〇人の全部が運転手であるのに第二組合は二五人のうち一六人が運転手であり、かつ一車輌相勤制をとつている、との諸事情を認定した上、

【32】「本件争議に至る経過並に争議の現況等を綜合して判断すれば、本件争議の現段階において会社所有の全車輌の稼動を可能ならしめることは、組合の争議行為を全く実効なからしめるに等しいに反し、会社側は争議によりなんらの痛痒打撃を受けないという事態を招来し、惹いては組合の団結権の保障を危くするおそれも予測されるので、本件においては第二組合員が第一組合の争議突入前に専用又は第一組合員と共用していた営業用車輌の内別紙第二目録記載の七輌及び自家用車一輌を使用して第二組合員及び非組合員が就労のため本件営業所構内に出入することを妨害する限度においてその妨害を排除する仮処分を許容するのを相当と認める」

とし、組合が営業所入口にピケを張り、付近構内片隅にテントを設け組合員並に応援者が待期していることは「本件営業所構内の占有が完全に組合側に移行しているとみるよりは、寧ろ組合員がそのピ

ケラインの延長として構内敷地の一部だけを会社の占有と競合して占拠しているものと考えるのが相当であるばかりでなく、組合側がこの部分に対する占有を排除することは、組合の集団ピケの一拠点を失わしめる地理的環境にある」として構内敷地に対する組合の占有を排除して執行吏保管とし組合の立入禁止を求める部分を却下している。

また、立入禁止と業務妨害排除とを求めた新聞印刷事件（大阪地昭三三(ヨ)九八八昭三三・六・一九決定労民集九・三・三八三）は、組合側が工場の大門を閉じてピケをはり、非組合員の入場をスクラムで阻止するなどの事実が平和的説得、団結の示威という観点からすれば限度をこえた行為とすべきであるが、それが会社側の実力によるピケ突破に端を発するもので、右組合側の行為も暴力沙汰とはいえない状況であり、かつ、会社が職階制を採用したことは組合の団結力弱化をはかる意図の内在を否み難いこと、スト突入後会社並びに非組合員に組合員の感情を不当に刺激する言動があつたこと、日時の経過に伴いピケ隊の態度も一般的に平穏となつたこと、スト中会社が非組合員で操業しても操作が覚束なく受注の程度も疑問であり経済的被害の回復に多くを期待しえないこと、組合に対し非組合員の出入等の妨害を禁ずることは使用者・非組合員による組合の切崩しを招来しスト破りを誘発し団結権に致命的打撃を与える危険性が強いことなどから、非組合員の出入等の妨害禁止の必要性を認めず、更に一般従業員とその実質が殆んど異らない名目上の工場長・部課長についても、右同様に、

【33】「操業の能率、利益に多くの期待ができず、むしろ非組合員の入場強行が直接争議の場を失わしめ、ストライキ妨害

の結果をもたらすおそれが大きい以上、操業の自由も自ら制約を受けるのは当然であり、一方非組合員の就労の自由が事実上阻害せられても、同じ労働者であることの連帯性並びに就労が組合員の労務代替を余儀なくする点からすれば、強くこれを非難することができない道理であり、且つ賃金は、争議が使用者の責に帰すべき事由と解せられる以上、その請求権を失わない（現に支給を受けている）のであるから、非組合員の経済的被害を懸念する要はなく、ただ会社は操業不能のまま非組合員に対し賃金を支給しなければならないことになるが、右損失は争議に伴う必然的なものとして忍受しなければならない」

として、組合員の立入禁止、組合員等による会社役員・組合員以外の従業員・取引先等が会社に出入し操業し搬出入することの妨害禁止を求めた申請を全部却下している。更に、右事件の抗告審（大阪高昭三三(ラ)一七五昭三三・七・三〇決定労民集九・四・五四〇）は、

【34】「労働組合のする争議行為の態様は、争議行為に対し使用者の施す対抗策に対応して相対的に流動するものであるから、この具体的な態様を無視して固定的に争議行為の手段・方法の正当性の範囲を限定して観念しようとすることは、わが国の労働組合の現状にかんがみて往々労働組合側にのみ不利益を強いる結果となり、労使対等の立場を失わせ、労働組合の団結権を不当に圧迫するおそれが多分にあるといわなければならない。従つて、実力行使の許される限度について固定的な限界を定めることは、不可能であつて、個々の具体的な場合に応じてその限界が定めらるべきである。このことは争議行為の補助的手段（場合によつては重要な手段）であるピケッティングにおいても同様である。」

「使用者側のスト破り又はピケ突破の挑発的行為があり、これに対抗してピケライン を防衛する限度において必要な最少限度の実力行使は、やむを得ないものとして許容され、違法性がないものと解する。」

「非組合員の大部分が、組合の団結力の弱化を目的とする使用者の行為に応じて組合を脱退し、このことがストライキの一原因となつているような特別の事情がある争議において、使用者が右非組合員を使用して操業を継続しようとし、その為に労働者の団結権を侵害する危険性のあるような特段の事由がある場合………には労働組合が、その団結力を防衛するため必要

な最少限度においてスクラム等の実力行使により非組合員の入門を阻止することは、やむを得ない行為として違法性のないものと解する」

と判示して、右原審決定を支持している。

その他、組合員が現に残留している建物につき、会社がその閉鎖を宣言しており今直ちに右建物を使用する必要がない、として、業務妨害排除のために組合側の右建物立入禁止を求める申請を却下した笹徳印刷事件（名古屋地昭二九(ヨ)一二一七昭二九・一二・二八決定労民集五・六・七七七）、タクシー会社の組合が、争議行為の一手段として持出したタクシー備付の自動車検査証、エンジンスイッチ等の引渡を求める申請に対し、会社側が組合の行うピケッティングの適法性について争わず、かつ争議の解決とは別個に、ピケを排除して自動車の使用を可能にするための何らかの対抗措置をとる用意があることは窺われないから、申請の趣旨にそうような仮処分命令を得ても右自動車を使用して収益を挙げることは事実上不可能と認められる、として、これを却下した相互タクシー事件（仙台地昭三三(ヨ)一八七昭三三・八・五決定労民集九・四・五五八）、組合の占拠する部分は一階と四階（現実に組合員が坐りこんでいるのはその一部分）にすぎず、会社が社屋内で業務を行うために右部分を今直ちに仮処分によつて明渡を求めなければ業務を行うことができず、たちまち経営が困難となるほどにさし迫つた必要性は疎明されない、として、右建物部分を除いて、就業を希望する従業員が右建物内で業務に従事することの妨害禁止のみを命じた主婦と生活事件（東京地昭三四(ヨ)二一一二昭三四・四・一四決定労民集一〇・二・三〇九、なお、本件に関しては後に東京地昭三四(ヨ)二一三七昭三四・五・二八決定労民集一〇・三・五二二事件において、再度の申請に対し、組合員が一、四階にいることは多少の不便はあろうが、会社の業務遂行を不可能ならしめるほどではない、として、これを却下している）がある。

およそ、わが国の労働争議では、それが長期化ないし激化する場合の原因として、使用者側の組合嫌忌の態度によることが多く、殊に争議中に組合分裂ないし脱退者の発生を見るときは、多かれ少なかれ、それが使用者の援助育成によるものとみられるものであるから、争議行為に関連する使用者側申請の仮処分の発令に当つては、その激化の原因・実情を詳細に検討し、それが当該争議の帰趨に与える影響・争議終結の見通し等も慎重に勘案し、必要最少限度にとどめることが相当である（労働組合員は、仮処分命令を受けたことの一事で、その内容如何にかかわらず、心理的にも打撃を受け、組合から脱落する場合すら多い）。その意味からすれば、前掲各判例が、争議の流動性・対向関係の実態などに留意し、団結権・争議権への影響を考慮し、また、操業が使用者にとり真に経済的利益をもたらすものであるか、或いは組合側への打撃を主たるねらいとするものであるか、などの点についても検討を加えていることは、高く評価されてよい、といえよう（もつとも、そのために余りに怯懦にわたることは、労使関係を必ずしも益するとばかりもいえないであろう）。

二　労働者側申請のもの

（一）従業員としての地位の保全ないし賃金の支払等を求める仮処分　この種の仮処分の必要性には、債権者の蒙る財産上の損害を挙げるものが多い。極く初期の実例としては、

【35】「一度争議行為を理由として解雇された労働者が、他に職をえること、最低限度の生活を支えるに足るほどの収入をえることがはなはだ困難であることは、産業労働界の現状からいつて、何人も疑わぬところであろう。申請人両名についても、

相当期間徒食するに足るほどの財産をもつているなどの特別の事情はないからインフレーション昂進下の今日、申請人両名は食うに困る実状にあるものと認めなければならない。解雇通知による精神的な損害、組合活動に支障を生ずることによる損害もさることながら、本案判決確定まで被解雇者として扱われることによる財産上の損害はまさに著しい損害といわなければならない」（東京地昭二三㈢二八九七昭二三・一一・三〇決定資料一・二〇〇朝日新聞事件）。

としたものがあるが、このような判断は、その後も原則的に採り入れられている（賃金を唯一の生活の資とする勤労者である以上、格別の反証がない限り、被解雇者として取扱われることは、その生活を脅かす死活問題であるとする、など）。もつとも、中には生活の危難を度外視しても労働者の受ける有形無形の不利益、苦痛が甚大であるとして、精神的損害に重点をおくものもあり（大阪地昭三〇㈢二五一四昭三二・四・一二判決労民集八・二・二二一田中運送事件、福岡地昭三四㈢二七五昭三五・九・二二判決労民集一一・五・九六〇安永鉱業事件、金沢地昭三六㈢八六昭三六・七・一〇判決労民集一二・四・五六四富士タクシー事件、岡山地昭三六㈢二一一昭三七・一二・二六判決労民集一三・六・一二二五玉野電機事件など）、また、組合の団結力の弱化ないしは組合活動に支障を来すことをも理由中に加えるものがある。

【36】「解雇が無効であるにも拘らず、組合員が被解雇者として取扱われることは、将に、インフレーション昂進下の今日、組合員個人の経済上の死活問題であるのみならず、組合員保護の任にあたる申請人組合にとつても、緊急の関心事であり、また、新労働協約の締結、企業の整備再建等の重要問題が討議せられようとしている現段階に於て、組合員を失うことは、いちぢるしい損害であるといわなければならない」（東京地昭二四㈢四六昭二四・三・一五決定資料四・八二日本油機製造事件、但し組合申請）。

【37】「本件解雇が無効であるに拘らず、解雇されたものとして取扱われることは、たとえ、右の如き事情（註、組合から給与相当額を支給されていること）があるとしても、今日の如く、就職困難な社会事情のもとにあつては、その生活関係を著しく不安定ならしめ、更にこのため十分な組合活動をなし得ないことは看やすいところであるから、先に認定した如く脱退者が続出し、少数組合となつた電産愛媛県支部としては、更にこれがため弱体化しひいて申請人として回復することができない

損害を蒙ることは推認するにかたくない」（高松地昭三〇(ヨ)一五昭三一・一・二〇判決労民集七・一・一・四国電力事件）（本件は民訴七六〇条について「同条にいわゆる損害とは現に蒙つている損害ばかりでなく、近い将来において、当然蒙ると予想されるものも含まれる」として、社宅の返還を迫られること、健保から除外されることは疾病その他の事故が将来予想されるものである以上、著しい財産上の損害である、とする。なお、神戸地昭二五(ヨ)一二〇昭二五・五・二決定労民集一・二・一三五大谷重工事件、大阪地昭三一(ヨ)二七四昭三二・一・二五判決労民集八・一・一六淀川製鋼事件、東京地昭三三(ヨ)四〇五二昭三五・三・二五判決労民集一一・二・二一八日本橋女学館事件参照、東京地昭二四(ヨ)二八九一昭二五・一・三〇決定労民集一・一・一三日本セメント専従者解雇事件は「不当労働行為が禁止せられているのは第一義的にはこれにより組合の団結が侵害される点にある。そしてこの侵害が法的に救済されずに放置されるときは組合の団結が時々刻々に弱化する危険があることも容易に認められる。それ故不当労働行為が本案判決で勝訴しても時既に遅く組合は弱体化し、回復し得ない損害を蒙ることが多いであろう。而して組合の弱化はとりもなおさず組合員の損害である。従つて被申請会社の前記申請人等六名に対する不当労働行為により申請人等所属の組合の団結の弱化の危険が現在ある以上これによる著しい損害を避けるための本件仮処分は必要であるといわねばならない」と判示する）。

必要性の認定に当り、当事者双方の利害ないし法益の権衡を考慮するものとして、

【38】「債権者等が窮乏生活に苦しんでいる」のに「反し債務者会社は日本に於ける石油の大部分を生産する大会社であり「多数解雇者の内僅か債権者等十一名の者を仮に従前の地位に復し、之に賃金を支給することは大なる負担であるとは解し難」い。「債権者等の仮りの復職によつて債務者会社が或程度の損害を被ることはこれを予想し得るが、この損害は前示債権者等の職員たるの地位を回復し得ない損害に比べれば問題とするに足らないものと云わねばならない。かような双方の事情を衡量しても、本件に於ては債権者の本件解雇の効力を仮に停止し、以て債権者の身分を従前のそれに復する仮の地位を定める仮処分を必要とする」（東京地昭二四(ヨ)一九一昭二四・八・一八判決労民集一追録一二一五帝国石油事件）（なお、広島高岡山支昭三三(ラ)三一昭三四・四・三決定労民集一〇・二・四一八・三和相互銀行仮処分抗告事件、当事者の蒙る損害を対比して必要性を否定したものに、東京高昭三一(ネ)六六昭三一・九・二九判決労民集七・六・一一一四岩崎鈑金工業事件がある。その他、福岡地飯塚支昭二四(ヨ)二二昭二四・九・二一判決資料七・七八日本セメント香春支部事件、大阪地昭三二(ヨ)一八二二昭三二・一二・一判決労民集七・六・九八六太田鉄工所事件、大阪地昭三一(ヨ)一八三昭三八・四・五判決労民集一四・二・四六五寿紡績事件参照）。

としたものがあるが、次のような判旨もある。

【39】「債務者が仮処分によつて蒙る損害が債権者がその求める仮処分のなされないために受ける損害より大なる事情は」「債務者に保証を立てしめることによつて仮処分の目的を達し得るとなす一つの事情であつて、仮処分命令の内容の適否・仮処分の取消の事情としては考慮さるべきであるが仮処分の必要そのものには何等の消長を来さないものと解するを相当と考え

る。同条の仮処分の必要は、甚しき損害を避け若しくは急迫なる強暴を防ぐため又はその他の理由により判断されるべきで、甚しき損害を避ける場合は、原則として債権者の損害について判断されるべきもので、このゆえにこそ特別事情による仮処分の取消その他が認められているものと解せざるを得ない」「本件において、会社が前記債権者らの細胞活動のため損害を受けるようになつたとしても、会社の企業の規模、細胞の人数等を考えると他に疎明のない限りこれをもつて直ちに民事訴訟法第七百五十九条にいう特別事情に当るものとは為し難」い（東京地昭二五(モ)二七一六昭二六・七・七判決労民集二・二・一五五池貝鉄工仮処分異議事件）（同旨、東京高昭二六(ネ)一四八四・三二七右事件控訴審、この点についての批判として、柳川「新訂保全訴訟」は民訴七六〇条にいわゆる損害の意義も、当事者の利益の権衡により、相対的に決すべきもの、とされる。賛成）。

公共の利益が害されることを必要性認定の資料とすることができるか、についてはさきにあげたほか次の判示がある。

【40】「被控訴人は非合法闘争の惹起又は法律無視の傾向の瀰漫により公共の福祉が害される結果に至ると主張するけれどもこれを阻止して公共の利益を擁護することは本来私権の保護を目的とする仮処分制度の関知する所ではなく、公共の利益保護を理由として仮処分の申請を為し得ざることは多言を俟たない」（東京高昭二五(ネ)四〇五昭二五・一一・二八判決労民集一・六・一一四九国鉄仲裁裁定第二次事件控訴審）。

公共の利益擁護を理由とすることは許されないが、前項であげた例は、債権者の蒙る損害を強調する意味とみるべきものであろう。

解雇された組合業務専従者の地位保全につき、給与相当額などを組合から支給され、かつ事業所内での通常の組合活動には特段の支障がないことから、その必要性を否定した例（東京地昭三三(ヨ)四〇二二昭三五・七・二九判決労民集一一・四・七八三日本鋼管事件）があるが、企業内組合の実態からすれば、専従者であつても、当該企業において従業員としての地位を否認されることは、組合活動にも重大な支障を来すことは明らかであり、「事業所に被申請人の許可なく出入することは遠慮してもらいたいが、さればといつて被申請人において申請人らの事業所への出入を阻止するため、当面法的措置をとるようなことは考えていない旨が言明された」程度で必要性を否定することは当を得ない。反つて、

【41】「同人も会社の従業員として勤務することが目的であつて組合専従は第二次的なものであると云えるし……いつ組合専従を解かれるかも知れないという不安定な状態にある。従つて申請人が……………従業員と異る待遇を受けることは著しい損害であり、その精神的苦痛も甚大であるべきことは……他の申請人等に比し著しい差異があるものとは考えられない」（山口地昭二九(ヨ)一三一昭三〇・一〇・一三判決労民集六・六・九一六日本化薬事件）（同旨、広島高昭三〇(ネ)二三三昭三四・五・三〇判決労民集一〇・三・五三一同上事件控訴審、大阪地昭二五(ヨ)一九六二昭二八・三・一三決定労民集四・一・二〇京阪神電鉄事件、仙台地昭二四(ヨ)一三四昭二五・五・二二判決労民集一・三・三九一日本冷蔵事件、東京地昭二四(ヨ)二八九一昭二五・一・三〇決定労民集一・一・一三日本セメント事件など）。

とすることが相当である。

次に保全の具体的必要を認定するのにつき、被解雇者が失業保険金の給付を受けているとしても、それは解雇が無効となる以上返還しなければならないものであるから、必要性を認めるのに妨げとはならない、とするもの（東京地昭二四(ヨ)三三三〇昭二五・二・二二決定労民集一・一・四七・三菱化工機事件、福岡地昭三六(ヨ)二六九昭三六・一二・二〇判決労民集一二・六・一〇八五中村製菓事件、大阪地昭三〇(ヨ)五六七昭三〇・七・二一決定労民集六・四・四七〇新共和タクシー事件、千葉地昭三五(ヨ)一〇七昭三五・一二・六判決労民集一一・六・一三九七塚本総業事件）、退職金を受領しているものについても同様とするもの（退職金の受領は特段の事由のない限り退職の承諾と解せられるが、被解雇者が生活に窮しているため、異議をとどめ、もしくは将来給料と相殺することとして受領し、争いを継続している場合などは、それが解雇を承認したこととはならない、という前提に立ち、保全の必要を認める、東京地昭二四・八・一八判決労民集一追録一二一五帝国石油事件、甲府地昭二五(ヨ)二一昭二五・六・一二判決労民集一・四・五一〇富士シルク工業事件、東京地昭二四(ヨ)三三一三昭二五・六・三〇決定労民集一・四・五六三富士産業事件）、被解雇者がその所属する労働組合その他より給与相当額の貸与を受けている場合にも、それが生活の困難を緩和するための臨時的応急的な措置であるとして必要性を認めるものが多い。

【42】「組合中央委員会において特に「不当処分対象者の給与保証に関する規定」を定め、これに基き会社側の解雇処分の

撤回又は本件仮処分命令が発せられるまでの一時的措置として従来の給与とほぼ同額の金員を申請人等に貸与しているに過ぎないこと、その貸与金の資金は月々全組合員から徴収されており月額は一名約五十円程度であるけれども、組合員は従来の組合費、闘争積立金等の外に今回の法廷闘争カンパと共にこれを徴収されるので組合員の生計に負担を与えその資金の徴収の継続は必ずしも容易でないこと、申請人等の借受金の額は従来時間外勤務手当・作業手当等本給以外に得ていた金額について考慮されていないので実際の手取額は従来よりもかなり（千円乃至数千円）低額であることが認められるから、右のような一時的な借受金では現在の本案訴訟の進行状況に照し右申請人等の著しい損害や精神的苦痛を避けるには到底不充分であると考えられ、更に右徴収金の継続は組合員の生計に負担を与えるため組合の団結や活動に好ましくない影響を及ぼすことは明らかであり、このため申請人等は他の組合員に対する心理的負担から充分な組合活動をなし得ないであろうことも推認するに難くない」（山口地昭二九(ヨ)一三一昭三〇・一〇・一三判決労民集六・六・九一六日本化薬事件、同上控訴審広島高昭三〇(ネ)二三三昭三四・五・三〇判決労民集一〇・三・五三一）（なお、大阪地昭二四(ヨ)八九〇昭二四・一一・二九決定資料七・二〇六松下電器事件、山口地下関支昭二五(ヨ)三昭二五・四・二八判決労民集一・二・二一六林兼造船事件、高松地昭三〇(ヨ)一五昭三一・一・二〇判決労民集七・一・一・四国電力事件、福岡地昭三二(ヨ)三八六昭三三・九・一八判決労民集九・五・六九一・九州電力事件、広島地福山支昭三三(ヨ)八二昭三三・一二・一〇判決労民集九・六・九〇二・ニコニコ自動車事件、東京地昭三三(ヨ)四〇二二昭三五・七・二九判決労民集一一・四・七八三日本鋼管事件、福岡地昭二五(ヨ)二六八昭三六・四・八判決労民集一二・五・一七六瀬戸製作所事件参照、岡山地昭三一(ヨ)二〇一昭三二・六・二九判決労民集八・三・三〇九高屋織物事件は、組合より給与相当額の支給――貸与ではない――を受けて生活に支障がないとされる事案につき、従業員としての地位保全のみを命じ、賃金支払の申請部分を却下している。この種の事案については、後に述べるように、保全の必要限度に対する考え方によつて左右されることになる）。

被解雇者が、その生活を支えるため、臨時に他に就職したり、日傭い労務などに従事している場合につき、その収入が僅少であること、一時的な就労でありいつ失職するか不安定な状態にあること、などの事情から、賃金の仮払を認めた例があるが（横浜地昭二七(モ)七一四昭二七・一二・二五判決労民集三・六・五六四中山鋼業異議事件、大阪地昭三〇(ヨ)二五一四昭三二・四・一二判決労民集八・二・二二一田中運送事件、高松高昭三一(ネ)一四五昭三二・四・二四判決労民集八・二・二三一加賀屋事件、原審徳島地昭三一(ヨ)二八昭三一・五・二〇判決労民集七・三・四八一参照）、従業員としての地位保全は別として（例えば東京地昭三二(ヨ)四〇四六昭三三・一一・二五決定労民集九・六・九五六東都交通事件）、賃金についてはこれを否定するものもかなりある（別会社に常勤の運転手として雇われ生活を維持するに足る収入を得ていることから、大阪高昭二七(ネ)七三二昭二八・三・一〇判決労民集四・二・一六九神戸タクシー事件、原審神戸地昭二七(ヨ)一〇八労民集三・四・三一三、同旨、東京地昭三三(ヨ)五三二一昭三三・一二・二六決定労民集九・六・一〇五七大東京タクシー事件、名古屋地昭三三(ヨ)五七一昭三四・一〇・一五決定労民集一〇・六・一〇〇八愛知交通事件、福岡地昭三六(ヨ)七九昭三六・一二・二七判決労民集一二・六・一一二九太陽タクシー事件、他で日傭いとして働き既に収入を得て従前と同程度の生活をしていた期間につき、広島地昭三六(ヨ)六三昭三七・三・二八決定労民集一三・二・二五二松並工業事件――本件も地位保全は認めている――、同程度もしくは従来より上廻つた収入を得ているものにつき却下、他社に勤務していてもその収入等につき実態が不明であるところからこれを認容したものとして岡山地昭三六(ヨ)二一一昭三七・一二・二六判決労民集一三・六・一二二五玉野電機事件など)。これに関連して他に就職して得た収入を控除すべきか否かの点につき、

【43】「申請人等が給付を免れた労働力を以て、他に労務を提供し、収入を得た場合には『就業を免れたことによる利得』として、これを控除すべきである。

ところで労働基準法第二十六条が使用者の責に帰すべき事由による休業につき平均賃金の六割に相当する手取の支払を命じている趣旨に徴すれば、四割以上の控除を許さぬと解すべきである。

もつとも、被解雇者は、自ら及び家族の生存を維持しなければならないのであるから、解雇せられたまま、復職まで無為に徒過することは、とうていこれを期待し得ないところである。従つて被解雇者が最少限度の生活を維持するため副業の程度においてなした労働から得た収入は、これを『就業を免れたことによる利得』とはいえないから、これを控除すべきではない」(東京地昭二四(ヨ)三三七一昭二四・一二・二七決定資料七・二九九帝国石油事件)。

とするものが多い(例えば、東京高昭三五(ネ)一二三九昭三七・一〇・二七判決労民集一三・五・一〇七二など)が、他方、

【44】「現下の社会状態の下においては、解雇、ことに本件における如く組合運動を理由とする解雇により就業を拒否された者が、その解雇を争いながら、他に職を求めることの極めて困難であるとの顕著な事実と、かかる被解雇者が再就職することは、むしろ異常な努力をはらうことによつてのみ可能であるという事実に照らすときは、他へ再就職することによつて得た収入は、労務給付義務を免れ、これにより得た時間を利用したのではあつても、これとは別個の原因、即ち新たな雇用契約を締結したことによつて得た利益として、債務の免脱とは相当因果関係を有しないものと解するを相当とする」(大阪地昭三四(ヨ)二六八八昭三七・五・一一判決労民集一三・三・五九六田中電機製作所事件)。

としたものもある。その後昭和三七年七月二〇日最高裁(昭三六(オ)一九〇昭三七・七・二〇第二小法廷判決最高民集一六・八・一六五六山田部隊事件判決)は、解雇

期間中他の職について得た利益は、それが副業的なもので、解雇がなくても当然取得しうるものであるなどの特段の事情がない限り、民法五三六条二項但書により償還義務があること、その控除の限度は平均賃金の四割までに限るものと解すべきである、と判示している。

　また、幾分資力があるからといって賃金仮払の必要なしとしない、と判示するもの（東京地昭二七(ヨ)四〇一二昭二七・四・一四決定労民集三・二・二〇二共立薬大事件は先きに地位保全の仮処分をえたが債務者が任意に履行しないところ、若干の資力ありとしても給料が支払われない限り生活に窮しないとはいえない、とする。なお、札幌地昭二七(ヨ)一四五昭二七・一〇・二五決定労民集三・五・四二九岩倉組事件、妻に若干の収入がある一事により生活に支障がないとはいえないとする東京地昭三一(ヨ)四〇〇一昭三二・二・五決定労民集八・一・四九・三洋石綿工業事件、生協の理事に専従するまでの間の生計の犠牲が償われていない、として解雇日以後右専従までの期間につき認めた福岡地昭三三(ヨ)四〇昭三三・五・三〇判決労民集九・三・三二六空軍火薬補給部隊事件、長男方に寄食している事案につき東京地昭三二(ヨ)四〇五〇昭三四・七・九判決労民集一〇・四・六九二東京補給部事件など）がある反面、資産があり、または確実な援助が期待されることなどから、急迫な事情があるとは認められない、としたものもある（若干の土地家屋株券などを所有しているものにつき、大阪地昭二五(ヨ)一九六二昭二八・三・一三決定労民集四・一・二〇京阪神電鉄事件、母や姉婿が相当の収入を得ており扶養家族のいない申請人につき、神戸地昭三一(ヨ)二九昭三二・九・二〇判決労民集八・五・五七八川崎重工業事件、衆議院議員である申請人につき、福岡地昭三二(ヨ)三八六昭三三・九・一八判決労民集九・五・六九一・九州電力事件、自己に資力がある場合はもちろん、親戚知友労働組合その他の第三者から被解雇者に回復し難い著しい損害を伴うことのない援助が確実に期待される場合には、従前の地位を保全する仮処分の必要性は存しない、とする福岡高昭三六(ネ)四八三昭三七・六・一八判決労民集一三・三・七六六国鉄事件、本件は停職三月の処分につき賃金の三分の一が支給されており、別に救援金として右減額相当分が組合より交付されているところ原審熊本地昭三六(ヨ)七〇昭三六・六・一四判決労民集一二・三・五二〇は精神上の苦痛を理由として認容したが、前記控訴審は救援金が本件処分の当否を争う訴訟の解決するまでは返済の要がないものである事実を附加して前記のとおり原審判決を取消し申請を却下したもの。田畑を耕作所有しているものにつき広島地昭三六(ヨ)二二六昭三七・八・一五判決労民集一三・四・九二六中央石灰工業事件、但し、本件は解雇後三年を経過して申請した事案である。大工の経歴があり独身で今後二、三ケ月位は自力で生活できる預金をもつ申請人につき解雇の効力停止のみを命じて賃金仮払を却下した名古屋地昭三七(ヨ)九〇二昭三七・一一・五判決労民集一三・六・一一〇三・一草会事件など）。

　既往の賃金仮払については、当初は社会全般の生活難も反映して、これを全面的に認める傾きがあったが、その後一部に限るものも見られるようになり、更にこれを否定するものもある。要は債権者の窮迫の程度如何にかかる。

【45】「本件仮処分判決の第一項の部分及び第二項中右仮処分判決のなされた昭和三十二年十一月以降毎月末日限り各平均賃金額の支払を命じた部分は仮処分本来の目的に添うものというべきであるが、右第二項のうち、仮処分判決のときまでにすでに経過した昭和三十二年三月から同年十月までの過去の平均賃金額の一時払いを命じた部分は上叙緊急措置としての必要性を全く欠除し、むしろ本案訴訟において勝訴判決があつたのと同一の結果を実現せしめるものとして仮処分の正当の範囲を逸脱したものというべきである」（大阪高昭三二(ウ)四七四昭三二・一一・一五決定労民集八・六・一〇四八神戸タクシー仮処分執行停止事件）。

【46】「今後履行期の到来するその余の部分については債務者が任意に支払をなす可能性の少いこと、或いは今後債権者等が更に裁判手続によつてその支払を求める必要の起りうることなどが疎明により、推察できるとはいえ、なお本件疎明の範囲においては本案の裁判確定をまたずして所謂断行の仮処分により、それと同様な保護をいま直ちに与える必要のあることを認めるに足りない」（東京地昭二七(ヨ)四〇一二昭二七・四・一四決定労民集三・二・二〇二共立薬科大学事件）（そのほか、将来の賃金仮払を却下したものとしては、東京地昭二四(ヨ)二六二五昭二五・三・一八判決労民集一・一・一日本医療団事件、名古屋地昭二五(ヨ)四六六昭二五・一〇・一八決定労民集一追録一二九四渡辺工業事件、前出日平伊讃美産業事件等参照）。

期限未到来の債権ないし将来の賃金の支払を求める部分については、当初は、として却下した例が見られるが、その根拠の一としては、債務者の任意の履行にまつのを相当とすることが挙げられる（例えば、札幌地昭二七(ヨ)一四五昭二七・一〇・二五決定労民集三・五・四二九岩倉組事件）。従って、その任意の履行が到底期待できない場合――多くはこのような実態をもつ――には、将来の賃金についても仮払を命ずる必要が認められることにもなり（岡山地昭二九(ヨ)六五昭三〇・七・一八決定労民集六・五・七〇六下津井電鉄事件）、近頃はそれを認めるものが多い（神戸地昭三〇(ヨ)三七七昭三一・七・二〇判決労民集七・四・八三八紡機製造事件、神戸地昭三一(ヨ)二九昭三二・九・二〇判決労民集八・五・五七八川崎重工業事件、同上控訴審大阪高昭三二(ネ)一〇九〇昭三三(ネ)六八昭三八・二・一八判決労民集一四・一・二九八、福岡地昭三七(ヨ)四四三昭三八・二・一八決定労民集一四・一・三三二西日本鉄道事件、広島地昭三六(ヨ)六三昭三七・三・二八旬報四五二松並工業事件、仙台地昭三七(ヨ)二五〇昭三八・五・一〇判決労民集一四・三・六七七ソニー事件、名古屋地昭三八(ヨ)五四昭三八・五・一三判決労民集一四・三・七一九細川商店事件など）。なお、本案事件の判決ではあるが、

【47】「労働契約関係は概して永い将来に亘る法律関係であつて、その間その内容たる賃金額等において絶えず変動があることはその性質上免れえないところである。例えば随時定期、臨時の昇給があり又税率、各種保険料率の変更に伴う賃金額の変動があり、場合によつては家族の異動による扶養手当額の増減或いは欠勤による減給等がありうる。従つて本件のように現在額を以て将来賃金を確定してしまうことは、それが永い将来に亘れば亘る程労働者にとつて概ね不利益となるであろうし又これを本意とするものでもあるまい。又使用者側としても仮令確定判決があつても、それは労働関係の継続ないし労務の提供を前提とするのであるから、将来この点が争いとなつた場合にはその執行力を排除するため或いは過払金の返還を求めるため永い期間に亘つて請求異議、執行異議その他の形で提訴するの不便を忍ばねばならない。それ故にこの種法律関係については相当期間を限つて将来給付の訴を許容するのが相当である。雇傭関係終了迄などという永い将来に亘つてまで債務名義を形成しておく必要は毫もない。このために労働者は一定の期間毎に将来給付の訴を提起するの煩を忍ばねばならないがそれも止むをえない」（福井地小浜支昭三五(ワ)一〇昭三七・一・三〇判決労民集一三・一・三四嶺南食糧販売協同組合事件）。

とするものがある反面、

【48】「雇用関係の存続が確認されても、使用者が労働者の就労請求を拒否して応じないときは、いつまでも労働者は賃金の支払を拒絶されることになる。このことは賃金収入を主要な生活の資とする労働者にとつて回復すべからざる損害を被ることになるから、右確認請求とともに将来の賃金支払を請求している場合、特に将来の一定期間についてのみ認容することは妥当でない」（福井地昭三六(ワ)九昭三七・一二・二一判決労民集一三・六・一一八三・五十嵐キネマ事件）。

と判示するものもあり、仮処分事件については、前示のように債権者の生活上の危難をさけるための必要限度において、しかも債務者が任意の履行をしないことが明らかである場合に、本案判決の確定に至るまでの間、賃金の仮払を命ずるのであるから、将来の給付を一定期間に限るべきものではないと考える。

月々定額が支払われる賃金以外の、臨時的・一時的な金員の支払は、その性質上、仮処分の必要性を認められる場合が少ない。例えば、

夏季手当に関しては、被解雇者がさきに地位保全の仮処分を得て、賃金相当額を月々受領し、退職手当等も保管しているから、給料の一月分に近い手当を支給されなければ生活の維持ができないほどの危険はないとして却下した三和相互銀行事件（岡山地昭三三(ヨ)二〇四昭三三・一一・二九決定労民集九・六・一〇四六、同控訴審広島高岡山支昭三三(ラ)三一昭三四・四・三決定労民集一〇・二・四一八）、年末手当に関しては、第二組合員及び脱落者に対し年末手当が支給されたことにより、第一組合が切崩されるおそれがあることを斟酌して、第一組合員に対する年末手当の支給を命じた千土地興業事件（大阪地昭二九(ヨ)三六三七昭二九・一二・二四決定労民集五・六・八三四）、生活上必要な越年の資金であるとして賃金と併せてその支払をも命じた群馬中央バス事件（前橋地昭三二(ヨ)一一〇昭三三・二・一五判決労民集九・二）、退職者に対して年末手当の支払を命じた小糸製作所事件（東京地昭三二(ヨ)四〇〇七昭三二・六・二五決定労民集八・三・二八四）、これを否定したものとしてニコニコ自動車事件（広島地福山支昭三四(ヨ)二三昭三四・三・二三決定労民集一〇・二・四一二）。

一人平均七七二円の生産奨励金の支払を求める申請を却下した函館船渠事件（函館地昭二五(ヨ)一〇二昭二五・一二・二八決定労民集一追録一二九八）。

年次有給休暇を欠勤扱いにしてその間の賃金（六一三八円）を支払わないため、その支払を求めた事案につき生計費を節約しまたは借入れなどにより、生活上の負担がすでに補塡されていることが疎明されているとしてこれを却下した電々公社事件（仙台地昭二九(ヨ)三七昭二九・四・七決定労民集五・二・二一一）。

未払賃金に加えて解雇予告手当の支払を請求した事案につき「仮処分の性質上生活の困窮という現在の危険から債権者を守るのに必要な最少限度にとどめるべき」であるとして、右合計額の七割見当の支払を命じた東海段ボール事件（名古屋地昭二九(ヨ)一二二七昭三〇・四・一一判決労民集六・二・二五七）。

被解雇者の賃金請求につき、走行粁手当・昇給・賞与等については「労働者が使用者に対しいくら昇給さるべきものとしてその増額した賃金の支払を裁判上請求できるかどうかは、就業規則・給与規程その他諸般の事

情を考慮して判断すべきことであるが、仮に」それが請求できるとしても、右金額については保全の必要性は認められないとして、その部分を却下した下津井電鉄事件（岡山地昭二九(ヨ)六五昭三〇・七・一八決定労民集六・五・七〇六）。

退職の餞別金等の支払を求めた事案につき解雇予告手当、退職金、未払賃金の一部が若干遅れても支払われていることから、未払賃金、退職金の残り一部の仮払を命じ、餞別金は期限が未到来であり、且つ多少遅れても著しい損害とは認められない、として却下した日平伊讃美産業事件（東京地昭三〇(ヨ)四七八五昭三一・一・一三決定労民集七・一・二三二）。

休業手当三一五四六円の仮払を求めた事案につき、その支払を得なければ生計困窮を来たすものとは認められない、として却下した日本パルプ事件（東京地昭三三(ヨ)四〇五五昭三三・一二・一九判決労民集九・六・一〇五〇、本件では仮処分の必要を否定するのにつき「この程度の額の請求権の実現が著しく困難となる危険は認められ」ない、と判示するが、請求権実現の難易を仮の地位を定める仮処分の必要性判断の直接の資料に供することは相当でない）。

また同様に申請が相当過去の債権に関し、かつ少額である場合には、必要性がないとして却下されることにもなる（東京高昭二五(ネ)四〇五昭二五・一一・二八判決労民集一・六・一一四九国鉄仲裁裁定第二次事件控訴審は、一人当り六〇五円の過去の賃金追加払の請求につき「これがなければ職員の生存を維持する上に、直ちに重大なる支障を来すべき性質のものとはいい得られないから、単に数字を離れて、賃金は勤労者の生活の基本をなすものであり、その生存に関する所重大であるとの一般的な議論のみにより、仮処分を命ずることはできない、とする。広島高昭二六(ネ)一〇八昭二八・一〇・二六判決労民集四・六・六一五宇部興産事件は、一一日分の賃金の支払を受けられなかつたことにより生活上の困難があつたことは推測できるが、すでに三年余を経過した現在、著しい損害があるとは認められない、とする。広島地昭三六(ヨ)二二六昭三七・八・一五判決労民集一三・四・九二六中国石灰工業事件は、解雇後三年を経過し、本案訴訟提起以来二年以上を経過して申請されていることを勘案し、必要性なしとする。また、横浜地昭三七(ヨ)五四〇・五五五昭三八(ヨ)九三昭三八・一一・二五判決日本金属事件は、解雇後一年近くを経過した現在、なお解雇直前の一ケ月余の賃金未払により生活上回復できない打撃を蒙つているとは考えられない、とする）。

もつとも、

【49】「申請人らの全勤務時間中現実に爆発物を取扱わない作業時間はその一割内外であつて昭和二十八年九月分は手取総額において月額二百円に満たない程度のものであることが認められるので、これをもつて直ちに生活上重大な損害を被るものとはいえないであろうけれどもその減収は一時的のものでなく将来にわたつて継続するものでありこれと労務者の一回の昇給額労働争議において獲得できる賃上げ額等が右の差額程度に留まることの多いという公知の事情を参酌すると生活に余裕のな

い労働者にとつては月額二百円をもつて生活に関係のない金額であるということはできない」（東京地昭三〇(ヨ)四〇一二昭三〇・一二・二四決定労民集七・一・一六三池子火薬廠特殊作業手当差額請求事件）。

とするものもあり、傾聴に値する面をもつが、現行仮処分制度を前提とする限り、債権者の生活上の危難を比較的厳格に考える傾きは避けられないであろう。労働者の生活そのものが現在の賃金ですら辛うじて保てる程度の水準にある実情に鑑みるときは、保全の必要限度をどこに求めるかは、常に慎重な考慮を要するところであり、その意味では、平均賃金の約六割の程度で必要性を認める（大阪高昭三二(ネ)一〇九〇昭三三(ネ)六八昭三八・二・一八判決労民集一四・一・二九八川崎重工事件、原審神戸地昭三一(ヨ)二九昭三二・九・二〇判決労民集八・五・五七八、福岡地昭三七(ヨ)四四三昭三八・二・一八決定労民集一四・一・三三二西日本鉄道事件等）ことが相当である場合もあろうが、原則的に

【50】「労働基準法第二六条に所謂休業手当の場合において労働者の最低限度の保障として賃金の六割を基準として定める趣旨を参照してその範囲内において仮に賃金の支払を求める必要があると考えるのが相当である」（神戸地昭三〇(ヨ)三七七昭三一・七・二〇判決労民集七・四・八三八紡機製造事件）。

とは云えない。反つて、

【51】「債権者に対し仮払を命ずべき金員の額を定むる基準及び仮払の方法につき考えるのに」「債権者が従前報酬の支払として債務者より現実に交付を受け債権者において事実上その任意の費消、使用に委ねられた金額を標準として具体的仮払額を定めるのが」「相当と認められるのであつて、必ず雇傭契約直接の効果たる報酬請求権の全額の支払を命じたり若くは労働基準法所定の平均賃金額の支払を命ずるのが相当とは解せられない」（神戸地三四(ヨ)一八四昭三五・一・一八判決労民集一一・一・一オリエンタルタクシー解雇事件）。

とする判旨の方が一つの考え方としては採られてよいであろう。従つてまた、賃金全額につき必要性を認めた事例も多く見受けられる（大阪地昭三六(ヨ)一八八九昭三八・二・二二判決労民集一四・一・三四〇近鉄タクシー事件は「地位保全仮処分で予想される賃金仮払に際しては……必要性の判断が加わるので必ずしもいわゆる

得べかりし利益としての賃金と同一視しえないとしても、特段の事情がない限り、賃金だけが唯一の生計維持源であることが疎明された以上、その得ていた賃金が仮に支払わるべき額であるとみてさし支えがない」とする）。

（二）　その他の仮処分

労働協約ないし就業規則の効力に関する仮処分につき、

【52】「本件労働協約には第十九条に統一団体交渉について規定しているにかかわらず、被申請人らは労働協約の失効を理由として統一団体交渉に応じないこと」「また協約の第六章には苦情処理について詳細規定し、処理すべき苦情があるにかかわらず、被申請人らは協約の失効を理由にしてこれに応じないこと」「また第四条にはユニオンショップについての約款があり、組合から脱退した者は解雇せられる旨規定されているが、申請人組合から脱退する者の多いことは、被申請人らの自ら主張するところであつて、右協約条項の存続が明かでないことも、組合の分裂動揺に一つの拍車となつていることも推認するに難くはない。そのほか第六条は労働者の解雇事由を列挙してこれを制限し、事由によつては組合の意見を聞き、あるいは協議を要すると定めるなど、協約により労働者の労働条件や待遇を保証しているにかかわらず、これらの条項が失効したものとせば、組合は延長期間内に起り得るこれら労使の関係につき著るしい不安と不利益を免れない。以上の事実を総合すればこの協約が効力を失つたものと解されることは、申請人に『著るしい損害』を生ぜしめることは明らかであるから、仮処分の必要性がある」（東京地昭二八(ヨ)四〇二一昭二八・八・一九決定労民集四・四・三四八電産協約仮処分事件）。

としたもの（名古屋地昭二三(ヨ)二九五昭二三・一二・八判決資料三・一六二豊和工業事件は、無協約状態にあるものとして会社より団交を拒否されていることを著るしい損害とする）、就業規則の改正は組合と協議して行う、との条項に違反してなされた改正規則の効力につき、

【53】「旧就業規則は現在なお効力を有すると解すべきであるから、法律関係の安定を図るためにも、又、改正後の就業規則を用されることにより、申請人組合員のこうむるべき損害をさけるためにも、被申請人会社をして、旧就業規則を遵守させる必要がある」（東京地昭二五(ヨ)二一七三昭二五・七・三一決定労民集一追録一三一四理研発条鋼業事件）。

としたものがある。

団体交渉に応ずることを命じた例も二、三見受けられ（岡山地昭二五(ヨ)九八昭二五・五・二六決定労民集一・三・四八八品川白煉瓦事件、大阪地昭二九(ヨ)二二〇七昭三〇・四・二一決定労民集六・三・三一八阪神電鉄事件、福井地昭三四(ヨ)二四昭三四・三・一六決定労民集一〇・二・一三九福井交通事件など）、それらは団結権、団体交渉権の侵害の危険性を理由とするものの如くであるが、前にも述べたとおり被保全権利に疑問があり、消極に解するのが相当であると考える。その他は前出**四**の**二**参照。

六　執行について

一　執行方法等に関する問題

裁判例中から若干の問題をあげると、仮処分の執行に際し債権者に数通の決定正本を附与できる点につき判示したものに、

【54】「同条（註、民訴五二六条）は債務名義の内容に従い同時に数通の正本に基きそれぞれ固有の強制執行乃至保全執行を為し得べき場合を定めたのであつて同時に数通の正本を附与すべき必要性を同条所定の場合にのみ限定した趣旨と解すべきではない」「相手方は右妨害を排除する為にはその必要に応じ一人乃至数人の執行吏を実施者として委任し得ることは当然であつて、委任すべき執行吏はただ一人に限られその執行吏は執達吏規則第十一条執行吏手続規則第十四条により補助者を使用し得るに過ぎないと解すべき何等の根拠がない。しかし相手方が右委任に際し実施すべき仮処分決定の内容を知らしめる等の理由により執行吏に決定正本を交付する必要のあることは民事訴訟法第五百三十四条の規定に照し明かであり又その附与によつて申立人に損害を蒙らしめる虞も存しないのであるから相手方が執行吏三名に委任することを理由として本件仮処分決定正本三通の附与申請に対し当庁書記官が裁判長の命令を得てこれを附与した処置は何等違法ではない」（札幌地昭三三(ヨ)八五二昭三三・九・二七決定労民集九

五・八六二王子製紙執行文附与異議事件）。

がある。

労働事件の仮処分における執行請求権の内容は、通常事件のそれにくらべると、一般に定型化の度合いが低く、且つ労使の対立関係などからの影響もあり、その執行に当つて、解釈上の争いを生じることも少くない。次の二例は、執行方法上の違法を執行方法に関する異議を通じて是正したものである。

【55】「民訴法第五四四条による執行吏の遵守すべき手続に関する異議の事由は、執行機関たる執行吏の遵守すべき形式的な手続上のかし、換言すれば、執行機関として執行実施に関して採つた処置の違法不当をいうのであつて、右異議は執行又は執行行為が執行吏の自らの判断調査の上、遵守すべき執行手続法規の上から見て形式的なかしがあることを理由とするときに限り許されるのである。従つて、執行吏において調査の権限職責のない債務名義に表示された執行すべき請求権の不存在や、債務名義自体の執行力の欠缺を理由として、執行不当を攻撃して執行方法に関する異議の申立をなしえない」「しかし乍ら、債務名義に表示せらるる執行請求権の内容、即ち、執行請求権者又は執行義務者が何人であるか、その執行すべき行為の内容が何かということは、債務名義の主文表示自体により何人にも疑義をさしはさむ余地のない程度に、簡単且つ明瞭に理解せられるようにされることが望ましいけれども、利害関係人の間において若し主文に表示せられた文言の意味につき、解釈を異にし疑義を生ずる」「ような場合には右文言の意味内容は、文言自体のみにより決すべきではなく、当該債務名義それ自体になされた一切の記載内容を、綜合的に且つ客観的に解釈することにより得られた合理的結論に基き之を定むることも執行吏のなすべき職務権限に属するものと解すべきである。」「仮処分の決定がその保全請求権の存在を前提とし、之が保全の必要性あるとき、その必要の限度においてなされるべきものである以上、仮処分決定の主文において表示されるところが一般的概念を規定する文言をもつてなされていても、この故に、これのみにより、この文言の有する意味内容を確定することはできず、右文言の意

味内容も自から債務名義に記載された保全請求権の範囲及びその保全の必要の限度によつて、限定せられるべきものであることは、右主文の表示が結局債務名義の理由中において判断せられた保全請求権の範囲と之に対する保全の必要の限度に基いて認容せられたものに外ならないからである」（福岡高昭三七㈤一六八昭三七・一〇・一二決定労民集一三・五・一〇四二新日窒水俣執行方法異議事件抗告審）（右決定は更に次の如く説示する。「これを本件について見るに、熊本地方裁判所が同庁昭和三七年㈲第一〇六号仮処分事件についてなした決定主文第三項には、「被申請人（本件相手方―以下同じ）組合所属の従業員以外の申請人（本件申立人―以下同じ）会社従業員云々」と表示せられているから、右文言自体よりみれば、その意味するところは、その文言の一般概念の規定として本件申立会社の従業員を指称し、特に右従業員の範囲について、相手方組合所属の従業員以外の申立会社の従業員の或一部に限定する趣旨とは認められない。しかし乍ら、同決定の主文において表示する執行請求権を確定するに至つた右決定の理由記載を通覧すると、相手方組合は相手方組合に属さない申立会社の従業員たる新組合員或は同決定添付別紙㈡目録記載の第三者及びその従業員（以下第三者という）が、申立会社の所有する新日窒株式会社水俣工場、同梅戸蒸気工場及び梅戸港に就労のための工場の出入、或は、原料資材の搬入、又は製品其の他の物の搬出を妨害し、以て申立会社の所有権の行使を妨げていることが明らかであるとして、右妨害行為については、右決定主文表示の限度において右執行吏に之が執行の権限を賦与したものであつて、右以外の者に対する相手方組合の妨害を排除すべき保全請求権及び之が保全の必要については、何等ふれるところはなかつたことが明らかである。されば、原決定の理由からその結論として確定された同決定主文表示の「被申請人組合所属の従業員以外の申立会社従業員」の意味するところは、相手方組合所属の従業員以外の申立会社の従業員たる新組合員と解すべきことは、決定主文の表示の外、決定の理由記載を綜合し客観的な解釈により得られる合理的判断に基くものであつて、右従業員中に申立会社中央研究所従業員を含まずとした原決定は相当といわねばならない」「執行吏が前記従業員の解釈を誤り、申立会社中央研究所の従業員の申立会社水俣工場出入につきなした執行処分は不当であつて、原決定が之が是正のため同決定主文の限度において執行吏にその処置を取るべきことを命じたのは相当である」）。

【56】「仮処分決定第二項は申立人組合が平和的な説得もしくは団結による示威の方法によつて、就労希望者に心理的な影響を加えながら、しかもなお就労希望者が自由意思によつて出入を為しうる余地を残して、これらの者に働きかけ、その就労を思い止まらせることは、許容されている趣旨であるから、申立人組合の行うピケッティングであつても右限度内のものは、実力による妨害行為に当らないことは多言を要しない。従つて執行吏は当該ピケッティングが前示ピケッティングの正当性の限界を超えているか否かを判断し、右逸脱が認定された場合に、はじめて右ピケッティング排除の可能性が生ずる。」

「右各記載（註、執行調書に「被申請人組合員に於てピケを張り、右ピケは、警察上の援助を求むるにあらざれば、之を解くことを不可能と認めたるにより」、「実力をもつて妨害行為をなしあることを認めたるをもつて」等との記載があること）は、その趣旨明確を欠くが、右執行吏等は、申立人組合の行つていたピケッティングが前示ピケッティングの正当性の限界を超えているか否かを判断するまでに至らず、前記仮処分決定第二項が申立人組合の行う団結による示威もしくは平和的説得をも禁じていると解釈して、前記各執行行為をなしたものと一応解せざるをえないように思われる。したがつて、申立人組合が団結による示威もしくは平和的説得を行うこと」、「をも許されないと解釈したことは、前記仮処分決定第二項の解釈を誤つていたものというべきである。

しかして、相手方の指定する職員又は新組合員の就労に際しては、将来においても申立人組合のピケッティングが行われることが確実に予想されるので、右のごとき誤つた解釈にもとずく執行行為が将来においても繰返えされる可能性が充分に考えられる。よつて本件異議の申立は、理由があるので、これを認容する」（福岡地昭三五(ヨ)二七八昭三五・五・四決定労民集一一・三・四二八・三池仮処分執行方法異議事件）。

【55】は一部の執行を了したのみで中止した続行中の事案であるが、後者については、その主文が「実力をもつて妨害し」てはならない旨表示されているもので、判旨の如き高度の判断を執行吏に求めるよりは、主文そのものをより明確にすべきであろう（「申請人の業務執行に妨げない限り被申請人組合員の立入りを許さなければならない」との主文につき、「立入り」をめぐり執行吏の解釈を不当としてなした執行方法の異議に対し、それが将来とることあるべき執行行為を警告したのに過ぎず未だ執行行為に出なかつたものであるからとて却下した例として、東京地昭二三(ヨ)五三四昭二三・九・一三決定資料一・三二〇東宝執行方法に関する異議事件。本件決定では原決定主文の「立入り」の解釈を示している。本件も執行吏に高度の解釈をまかせることとの欠陥を示すものである。）。

使用者側申請の仮処分には、不作為を命ずるものが多い。

【57】「不作為義務には、単に一定の行為をしないという純粋の不作為義務と一定の行為がなされるに当りそれを耐忍して妨害しないことを目的とする義務があるところ、債務者が耐忍義務に違反して耐忍すべき義務を有する行為に抵抗する場合には、執行吏は債権者の委任によりその執行に立ち合つて債務者の執行を排除することができると解するのが相当である（執行吏執行手続等規則第五六条、民事訴訟法第五三六条第二項参照）。」「しかるに執行吏内村寅吉は前記のとおり申立人の委任があつたのにかかわらず妨害行為の執行行為を実施しなかつたのであるから、右は正に民事訴訟法第五四四条第二項の執行吏が委任に従い執行行為を実施することを拒んだときに該当する」（東京地昭三七(ヨ)一二五〇昭三七・六・二〇決定労民集一三・三・七七七国光電機執行方法異議事件）。

【58】「組合員が社屋の一、四階にいることだけでも編集、販売等の業務の遂行に多少の不便を伴うことは推認されるが、

この程度の不便があるからといつて、これを排除しなければ会社に著しい損害があるものとは認められない。組合員が同年四月一七日非組合員が四階を清掃しようとするのを妨害したことなど会社側の業務遂行を妨害したことの疎明はあるが、かかる行為は、おおむね別紙㈡の前仮処分命令にいう(イ)、(ロ)以外の方法による従業員の営業に従事するのを妨害する行為に該当すると認められるから、かかる行為はすでに前仮処分によつて禁止されているところである。従つて会社はこの種の行為に対して手をこまねいている必要はなく、前仮処分によつて対処できる方法が法律上与えられているのである。会社は、四階の掃除に着手しただけで、四月一七日の如き抵抗を受けるのであるから、一、四階から組合員を排除する以外に同所をその本来の業務に供する途はないというのであろう。しかし、会社側は前仮処分命令違反の事実を主張しながら、右仮処分の執行に着手した疎明はなく、従つて前仮処分の執行によつても適切に対処できない組合側の抵抗があることについては十分な疎明がないというべきである」（東京地昭三四(ヨ)二二三七昭三四・五・二八決定労民集一〇・三・五二二主婦と生活第二次申請事件）。

不作為を命ずる労働事件仮処分は、そのほとんどが反覆的ないし継続的なものであるところから、これが履行を強制する方法として間接強制が考えられるが、他方その多くの場合、不履行の事実が一時的に発生しこれが終了した後は履行されているのと同じ状態におかれる関係上、将来の不作為について間接強制を求める結果となり、許されない。結局、民法四一四条三項による「将来ノ為メ適当ナ処分」を求めることになるが、それも担保の提供ないし違反ごとの賠償金の支払等を命じうるのにとどまる。

【59】「わが執行法は、金銭債権以外の債権についての執行の方法として、有体物の引渡請求については執行吏による直接的な強制、作為または不作為を目的とする請求については、受訴裁判所による代替執行乃至間接的な強制による方法または意思表示義務の執行についての特別の方法を規定しているに止まるから、債務者が人力による抵抗で不作為義務に違反した場合

に、その違反行為をしている人体に対し、直接的な強制を加えてその違反行為を除去することは許されないものと解すべきである。もつとも民法第四一四条第三項・民事訴訟法第七三三条によれば受訴裁判所は不作為を目的とする債務について適当な処分をなし得る旨規定されているので、その処分の内容として右のごとき直接的強制を加えることも包含しているごとく解せられないでもない。しかしながら、右のごとき直接的な強制は前記のごとくわが執行法上明文がなく（かかる執行が許されるとするなら、こと人権に関する問題であるから当然明文がある筈である）、むしろ右適当な処分とは、不作為義務違反の行為を予防するため、違反の原因である物的状態を除去させ、またはこれを防止する物的設備をすることを命じ、将来の損害に対し担保を提供させるなどという結局において人体に対する直接的な強制以外の処分を意味するものと解すべきである」（札幌地昭三三（モ）九五〇昭三三・一〇・一八決定労民集九・五・八七四王子製紙仮処分執行命令事件）（なお、ホテル業の争議において業務妨害の禁止を命じた仮処分命令につき、これに基きその違反に対し賠償の支払を命じ、ないし担保の供与を命ずる処分の申立ては許されないものとした事例として、京都地昭三六（モ）九七昭三六・三・八決定労民集一二・二・一二八京都ステーションホテル間接強制申立事件参照）。

なお、不作為を命ずる仮処分の執行に当り、民訴七三三条・七三四条以下の規定の準用について債務者の審尋を義務づける同法七三五条但書の準用がない、としたものがある（本件は三池炭鉱争議に当り福岡地裁がなした立入禁止・業務妨害禁止の仮処分（昭三五（ヨ）一七七昭三五・五・四決定労民集一一・三・四一〇）に対し、義務違反のあることを理由として債務者の費用をもつて設置物の除却を命じた執行処分（福岡地昭三五（モ）六〇二昭三五・五・一〇決定労民集一一・三・四七九）につき、債務者より執行方法に関する異議の申立があり、それに対する却下決定（同地裁昭三五（ヲ）三一三昭三五・五・一二決定労民集一一・三・四八三）中に判示されたもの）。この場合の審尋は債務者の不履行の事実の有無についての認定を主な目的とするものであるから、仮処分裁判所にはその間の事情が明らかなことが多いと思われる（柳川判事は、債務者が任意の履行を肯んじない場合は、強制執行の可能な第二次仮処分を発することの妥当性を力説される。柳川・新訂保全訴訟三六六頁以下）。また、債務名義成立前に設置された物の除去については、次の例がある。

【60】「債務名義成立前に設置されたものは、たとえ不作為義務に違反した物的状態であつても、これを除去するには、作為義務として、別途に請求するのはともかくとして、違反状態が生じた後の不作為義務に関する債務名義の執行としてなしえ

ないものというべきである」(高知地昭三六(モ)一六昭三六・一・二八決定労民集一二・一・二二金星製紙代替執行命令申請事件)。

二　執行の停止・取消について

仮処分を認容した裁判に対し、異議または控訴を起した場合に、民訴五〇〇条・五一二条を準用して、右仮処分の執行の停止・取消を求めることができるか、については、学説が分かれ、判例も大審院は消極に解していたが、最高裁は原則としては消極説に立ちながら、例外として、停止することができるとしている。

【61】「思うに、仮処分の裁判は、判決である場合においても、その性質上仮執行の宣言を要せずして直ちに執行力を有するのであるが、仮処分という名の示すとおり、将来本案訴訟において確定せられるべき請求(権利又は法律関係)を保全するために、仮になされる緊急措置の範囲内のものであるべき筈である。しかるにこれに反し民事訴訟法第五百条又は第五百十二条の規定は、確定判決又は仮執行宣言付判決に対して、再審又は上訴の提起があつて、将来これらの判決の取消又は変更の可能性が予想され得る状態にあるにも拘らず、強制執行の実施によつて判決の内容が即座に終局的に現実化して、債務者に対して償うことのできない損害を生ぜしめてはならないという配慮に基いて、債務者のためこれまた一時的の応急措置として執行停止の命令を求めることのできる制度を設けたものである。云いかえれば前者は権利保全のための仮の緊急処置であり、後者は権利の実現阻止のための一時的の応急措置である。

前述のごとく㈠仮処分は権利の終局的実現を目的とするものではなく、単に権利の保全のために仮の緊急処置を講ずるに過ぎないものであるから、仮処分判決に対しては確定判決又は仮執行宣言付判決に対する場合とは異なり権利の終局的実現を阻止するために一時的の応急措置を講じ執行を停止する必要は本来の性質上存在しないのである。しかのみならず㈡若し仮処分判決に対し上訴の提起があつた場合に、前記規定を準用して、形式的にただ上訴の提起があつたことを理由として保証さえ立てれば、常に何時でも、容易にその執行の停止を求めることができるものとすれば、簡易に仮処分の裁判そのものの取消を得るのとほぼ同一の目的を達することとなり、緊急事態に対してなされる仮の緊急処置の効果を阻害し、仮処分制度による特別保護の目的を減却することとなる。一般に仮処分をもつて仮処分裁判の執行を停止することはできないと説かれるのも、その主たる論拠は結局上述するところに帰着するのである。又仮処分決定に対して異議の申立があつた場合について、訴訟法が第五百十二条のような規定を特に設けなかつたのも全く同じ理由に基くのであつて、一派の論者のいうように、必ずしも立法者の不用意な忘却によるものとは思われない。異議の申立によつて仮処分決定の取消又は変更をするには、必ず判決の形式をもつてしなければならないことを要請した訴訟法が、仮処分決定そのものの取消と同様の結果を生ずるその執行の停止を決定の形式ですることを容易く認容する筈はないものと言わなければならぬ。要するに、仮処分判決に対して上訴を提起した場合には一時的に応急措置を講じて執行停止をする本来の必要性が存在しない点と、若し執行停止を許すとすれば仮処分制度の目的を減却するに至る点を考慮すれば一般的に原則としては、執行停止を許すべきものではないと結論するを正当と信ずる。

しかしながら、上述の原則論は現実になされた仮処分が、その本来の使命である権利保全のためにする仮の緊急処置たる範囲を逸脱しておらないことを必要条件とする。若し万一誤つて仮処分裁判の内容が、権利の終局的実現を招来するごときものであつて、その執行が債務者に対して回復することのできない損害を生ずる虞のある場合においては、民事訴訟法第五百条の前記立法精神に徴しても、かかる仮処分裁判に対して異議又は上訴の申立のあつたときは、例外として同条及び第五百十二条の規定を類推して、債務者のために一時的の応急措置を講じその執行を停止する途を開く必要の存することは、多言を要せざるところである。そして又かかる場合においては執行停止を許したとしても、それが仮処分制度の目的を減却するという批難は当らない。それ故、かかる場合には特に例外として執行の停止を許すべきものと解すべきである。このことは一般に仮処分の執行については強制執行に関する規定を準用すべき旨を定めている民事訴訟法第七百四十八条第七百五十六条の精神にも全く合致するものと信ずる」(最高昭二三・三・三 民集二・三・六五)。

その後、国鉄仲裁裁定に基く履行を求めた仮処分事件において、東京地裁がなした「被申請人は別冊目録記載の申請人組合の組合員に対しそれぞれ一人金六百五円ずつの金員を支払わなければならない」との判決（東京地昭二五(ヨ)八八七昭二五・四・一九資料八・一九六国鉄仲裁裁定履行第二次仮処分）に対し、東京高裁がその執行停止を命じたのにつきなされた特別抗告事件において、最高裁は更に次のように説いた。

【62】「一般に仮処分を以て仮処分裁判の執行を停止することが許されないといわれ、また、民訴七五九条において、「特別ノ事情アルトキニ限リ保証ヲ立テシメテ仮処分ノ取消ヲ許スコトヲ得」る旨規定されていることを思えば原則として仮処分の執行につき民訴五一二条を準用することの不可なる所以を了解することができるであろう。しかしながら各場合において具体的になされた仮処分の内容が、権利保全の範囲にとどまらずその終局的満足を得せしめ、若しくはその執行により債務者に対し回復することのできない損害を生ぜしめる虞あるようなものであるならば、その執行は実質上終局的執行のなされた場合と何等えらぶところがないのであるから、この場合においてのみ、例外として民訴五一二条を準用する必要あるものといわざるを得ない」（最高昭二五・九・二五民集四・九・四三五）。

右【61】判例は、停止をなしうる要件として、（一）権利の終局的実現を招来するごときものであつて、（二）その執行が債務者に対して回復することのできない損害を生ずる虞のある場合、の二つを挙げているのに対し、【62】判例はこの二要件を「若くは」としてつなぎ、択一的であるかの如く述べているが、右二要件はそのそれぞれを具備しなければならないと解すべきであろう。更に【62】判例は、一審判決が一人当り六〇五円の支払を命じるものであり、その執行により請求の終局的実現を招来する虞があることはその内容自体から明らかであるから、原審が執行停止を命じたのは違法ではない、とするが、既に述べたように、賃金支払の仮処分は、権利実現の遅きに失するところからする急迫状態より債権者を救済するに必要な限度において許容されるものであり、それ自体「権利の終局的実現を招来するごとき」性質をもつものであるともいえるから、吉川博士が説かれる如く「仮処分の執行を停止・取消すことを許すか否かを決するのには、異議または上訴が事実上理由ありとみえ、かつ、仮処分の執行によつて債務者が回復不能の損害をこうむる事情が一応疎明されたかどうか、を事前に審査すべきで」あり（吉川・判例保全処分六〇〇頁）、小川保男判事の説かれる如く、前記判決の二要件に、更に「不服の理由として主張せられた事実が法律上理由ありと見え、且つ事実上の点につき疎明ありたるとき」を加え、その一つを欠いても許されない、とすべきであろう（小川「保全処分命令の執行の停止及び取消」吉川博士還暦記念論文）。かく解すれば、賃金支払に関する【62】判例も必要性を欠く点において是認されるのではあるまいか（なお吉川「増補保全訴訟の基本問題」菊井「保全訴訟」新法学全集、柳川「新訂保全訴訟」沢田「仮処分漫歩」沢「保全訴訟の研究」等参照。柳川・沢田両氏は消極説を展開されている）。下級審ではこの点につき、

【63】「仮処分を命ずる判決に対し控訴を提起した場合、右判決を一時停止する裁判を求めることができるか否かについては民事訴訟法上直接適用すべき規定がないけれども、同法第五〇〇条第五一二条をこの場合に類推適用し之を積極に解するを相当とする。しかして右規定を類推適用してかかる執行停止の裁判をなすには、その要件として、まず仮処分債務者が不服の理由として主張した事情が法律上理由ありと見え且つ事実上の点に疎明があつたとき（同法第五〇〇条第一項中昭和二九年法律第一二七号による新設の部分類推適用）換言すれば、仮処分における被保全請求権の存在若くは保全の必要の疎明がなく、仮処分の判決に対する控訴の理由ありと見えることを要するのみならず、更に執行停止の対象である保全処分命令の性質に鑑み当該保全処分を命ずる判決の執行により債務者に対し回復することのできない著しい損害を与うる虞あるとの疎明あることを保証の有無に拘らず（同条第二項参照）必要とするものと解すべきである」（大阪高昭三一(ウ)五一八昭三一・一二・二七決定労民集七・六・一一七五太田鉄工所執行停止事件）（本件は地位保全・一定期間の賃金支払を命じた仮処分判決に対し上訴を提起して右判決の執行停止を求めたもの、申請棄却）。

と判示したものがある（そのほか執行停止の申立を却下したものとして、使用者側申請の妨害排除仮処分に対する岐阜地昭二九(ヲ)一三四昭二九・七・二九決定労民集五・五・六〇六近江絹糸事件、賃金支払仮処分に対する大阪高昭三一(ウ)五一八昭三一・一二・二七決定労民集七・六・一一七五太田鉄工所事件、大阪高昭三二(ウ)五一七昭三二・一二・一七決定労民集八・六・一〇五三大阪読売事件、大阪高昭三三(ウ)三二三昭三三・七・二四決定労民集九・四・五九五布施交通事件、大阪高昭三五(ウ)一〇二昭三五・四・四決定労民集一一・二・二九五オリエ

ンタルタクシー事件、大阪高昭三五㋒五八〇昭三五・九・二二決定労民集一一・五・九八八小畑鉄工所事件、広島地昭三六㋲二四九昭三六・三・一一決定労民集一二・二・一四九広島厚生事業協会事件などがある。執行停止を認容したものとしては、先に解雇の効力停止仮処分がなされ、第二次に賃金仮払仮処分が発せられた後、先の効力停止仮処分が控訴審で取消されその申請が却下されたのにつき、右賃金仮払仮処分決定に対する異議申立に伴いなされた執行停止申請を認容した大阪高昭三三㋶七三昭三三・七・一五決定労民集九・四・五九〇神戸製鋼所事件、過去の八ケ月間の平均賃金の一時払を命じた分は緊急措置としての必要性を欠如するとして、その部分に限り執行停止を認めた大阪高昭三二㋒四七四昭三二・一一・一五決定労民集八・六・一〇四八神戸タクシー事件――本件に関する仮処分決定は債権者が賃金を絶たれ非常な生活難に陥つていることを認定しており、一概に過去八ケ月の賃金支払が必要性を欠くとしてその執行停止を命ずることには疑問がある――、なお、大阪高昭三二㋒四〇三昭三二・九・二一決定労民集八・五・八〇一川崎重工業事件は、既往の賃金と期限未到来の賃金とにつき仮払を命じた仮処分の執行停止を命じているが、右停止決定には理由が付せられていないので、その根拠はつまびらかにし得ないが、申請理由の程度をもつてしては未だ停止を認めるに足るとは考えられず、一般に問題のある既往の分に限つて検討しても、仮処分判決が示す必要性を否定するに足るものか否か疑わしい）。

仮処分判決に対する控訴提起に伴い、民訴五一二条を類推適用して右執行を取消したものとしては、立入禁止、人の出入・物品の搬出入の妨害禁止等を命じた近江絹糸仮処分に対する決定がある（大阪高昭二九㋒二八八昭二九・七・一九労民集五・三・三六二、本件も理由が窺えない）。

事情変更による取消については、協約の有効を前提として発せられた仮処分決定が、右協約失効後、事業変更ありとして取消された例（高知地昭二五㋲八一昭二五・九・二五判決労民集一・五・八七一山本造船鉄工所事件）、従業員の地位を保全せられた被解雇者が数回の出社命令に応ぜず、なんらの連絡もとらないため、再度なされた解雇が適法と認められ、仮処分の事情が変更したものとされた例（大阪地昭二八㋲五四四昭二九・一一・二五判決労民集六・一・一〇三近畿日本鉄道事件）、保安解雇された駐留軍労務者に対する賃金の仮払を命じた仮処分が、その後になされた整理解雇によつて雇傭契約が終了したことを理由として取消された例（東京地昭三三㋲一六六二昭三三・一〇・六判決労民集九・五・八六六）などがある。

判例索引

最高裁判所判例

高等裁判所判例

地方裁判所判例

中央労働委員会命令

地方労働委員会命令

著者紹介

石崎政一郎（いしざきせいいちろう）　立教大学教授
西川美数（にしかわよしかず）　東京高等裁判所判事
岸　星一（きしせいいち）　弁護士

総合判例研究叢書　労働法（11）

昭和41年7月5日　初版第1刷印刷
昭和41年7月10日　初版第1刷発行

著作者　石崎政一郎
　　　　西川美数
　　　　岸　星一

発行者　江草四郎

東京都千代田区神田神保町2～17
発行所　株式会社　有斐閣
電話 東京（265）6811（代表）
振替口座東京370番

明石印刷・稲村製本

総合判例研究叢書 労働法(11)
(オンデマンド版)

2013年2月15日　発行

著　者　　石崎　政一郎・西川　美数・岸　星一
発行者　　江草　貞治
発行所　　株式会社 有斐閣
〒101-0051　東京都千代田区神田神保町2-17
TEL　03(3264)1314(編集)　03(3265)6811(営業)
URL　http://www.yuhikaku.co.jp/

印刷・製本　　株式会社 デジタルパブリッシングサービス
URL　http://www.d-pub.co.jp/

AG554

ISBN4-641-91080-4　　Printed in Japan